SÉRIE DES ROIS

LE
ROI
FANTÔME

SÉRIE DES ROIS

2

LE ROI FANTÔME

HEATHER KILLOUGH-WALDEN

TRADUIT DE L'ANGLAIS PAR
GUILLAUME LABBÉ

ADA
éditions

Copyright © 2012 Heather Killough-Walden
Titre original anglais : The Phantom King
Copyright © 2014 Éditions AdA Inc. pour la traduction française
Cette publication est publiée en accord Trident Media Group, LLC, 41 Madison Avenue, 36th Floor, New York.
Tous droits réservés. Aucune partie de ce livre ne peut être reproduite sous quelque forme que ce soit sans la permission écrite de l'éditeur, sauf dans le cas d'une critique littéraire.

Éditeur : François Doucet
Traduction : Guillaume Labbé
Révision linguistique : Isabelle Veillette
Correction d'épreuves : Nancy Coulombe, Carine Paradis
Montage de la couverture : Matthieu Fortin
Mise en pages : Sylvie Valois
Conception de la couverture : Heather Killough-Walden
ISBN livre : 978-2-89752-101-1
ISBN PDF : 978-2-89752-102-8
ISBN ePub : 978-2-89752-103-5
Première impression : 2014
Dépôt légal : 2014
Bibliothèque et Archives nationales du Québec
Bibliothèque Nationale du Canada

Éditions AdA Inc.
1385, boul. Lionel-Boulet
Varennes, Québec, Canada, J3X 1P7
Téléphone : 450-929-0296
Télécopieur : 450-929-0220
www.ada-inc.com
info@ada-inc.com

Diffusion
Canada :   Éditions AdA Inc.
France :   D.G. Diffusion
                    Z.I. des Bogues
                    31750 Escalquens — France
                    Téléphone : 05.61.00.09.99
Suisse :   Transat — 23.42.77.40
Belgique :   D.G. Diffusion — 05.61.00.09.99

Imprimé au Canada   SODEC

Participation de la SODEC.
Nous reconnaissons l'aide financière du gouvernement du Canada par l'entremise du Fonds du livre du Canada (FLC) pour nos activités d'édition.
Gouvernement du Québec — Programme de crédit d'impôt pour l'édition de livres — Gestion SODEC.

Catalogage avant publication de Bibliothèque et Archives nationales du Québec et Bibliothèque et Archives Canada

Killough-Walden, Heather
    [Phantom king. Français]
    Le roi fantôme
    (Série des rois ; 2)
    Traduction de : The phantom king.
    ISBN 978-2-89752-101-1
    I. Labbé, Guillaume. II. Titre. III. Titre : Phantom king. Français.
PS3611.I44P4214 2014   813'.6   C2014-941426-9

« *Et quelque part dans une alcôve, le Seigneur et le Diable jouent maintenant aux échecs. Le Diable triche encore et gagne plus d'âmes [...].* »

— *The Spanish Train*, chanson en langue anglaise de Chris de Burgh (traduction libre)

PROLOGUE

Le métal de l'arme à feu glissa sous la prise humide de Steven. Ce n'était pas censé arriver. Il n'était jamais censé se retrouver dans cet état, couvert de sueur et terrifié, sans avoir la situation — ou son arme à feu — bien en main.

Lorsque la fenêtre arrière vola en éclats, explosant vers l'intérieur dans un fracas de verre brisé, Steven ne se leva cependant pas de là où il était accroupi entre le canapé et la petite table renversée. Il ne se leva pas pour faire face à son ennemi. Pas cette fois.

Il apprenait. La leçon était difficile, rapide et irréelle, mais l'esprit de Steven était celui d'un policier entraîné et il savait quoi faire en dépit de la nature impossible de ce à quoi il faisait face : absorber l'information et l'assimiler.

Il serait un homme mort s'il se levait et décidait d'affronter cet adversaire. Il ne vivrait pas assez longtemps pour voir le soleil se lever. Son seul espoir était de sortir de la maison et de s'en éloigner le plus possible, aussi *rapidement* que possible. Donc… il n'avait réellement aucun espoir.

Steven ferma ses yeux et déglutit avec difficulté quand il entendit des bruits de pas traverser lentement le carrelage de la cuisine. Le verre éclata et craqua sous une paire de bottes, et un filet de sueur coula vers l'œil de Steven. Ses respirations étaient soudainement criardes et elles menaçaient de perturber le silence. Il tenta de les contenir dans ses poumons. *Il va m'entendre*, pensa-t-il.

— Vous êtes un petit humain courageux, dit son assaillant, ses mots teintés d'un léger accent recélant un plaisir évident. Je dois vous l'accorder.

Steven essuya très soigneusement la sueur de son front et tourna vite son regard vers la porte de la salle de séjour. Elle était à six mètres de lui et c'était la distance qui le séparait d'une possible liberté.

— Vous êtes dans mon chemin, détective, indiqua la voix.

Elle était plus proche maintenant et le bruit des bottes indiquait clairement la distance qui les séparait.

— Avez-vous une idée du nombre de petites merdes comme vous qui ont tenté de se mettre sur ma route au cours de ma vie?

Steven examina ses options. Il lui restait 11 balles dans son chargeur, mais les 4 premières balles avaient été tirées à bout portant dans la poitrine de son assaillant sans produire le moindre effet.

— Des milliers, continua la voix.

Elle éclata d'un rire sinistre et grave qui eut pour effet de faire dresser les poils des bras de Steven et de remplir son ventre de plomb.

— *Des milliers.*

Steven essaya d'ignorer la voix. Quelle autre option avait-il? Son téléphone était sur le comptoir de la cuisine. *Inutile.* La maison était éloignée de la route et le voisin le plus proche se trouvait à une trentaine de mètres de là. Personne n'avait fait part de son intention de lui rendre visite. Il était seul.

— Elle va renter à la maison et vous trouver dans une mare de sang sur le plancher de la salle de séjour, détective, poursuivit son ennemi quand il se pointa sur le seuil de la salle de séjour. Puis, sa détresse la rendra faible.

Le cœur de Steven martela dans sa poitrine. Son regard se plissa et son estomac se noua. La voix continua de rire, projetant de la douleur dans la mâchoire de Steven tandis que ses dents se serraient avec suffisamment de force pour faire craquer une de ses molaires.

— Et elle sera mienne.

Toute la raison, toute la logique et tout ce que Steven avait pu apprendre à ce jour s'unirent pour rendre une décision partagée séance tenante.

Il n'allait pas s'en sortir vivant.

Le mieux qu'il pouvait espérer était de donner à Siobhan une chance de faire ce qu'il ne pouvait pas faire. *S'évader.*

Steven se leva depuis l'arrière du canapé et se retourna tout comme le fit le démon. Ils étaient face à face à se regarder directement dans les yeux. Le regard rouge du démon se posa brièvement sur l'arme à feu dans la main de Steven et il sut ce que ce dernier allait faire, cette connaissance visible sur les traits magnifiques, mais oh combien trompeurs de son visage. Le détective avait appris sa leçon la première fois.

Le démon contre-attaqua au moment précis où Steven souleva son bras en appuyant sur la détente. La grande silhouette du détective se retrouva enveloppée de furieuses flammes rouges tandis qu'il déchargeait ses 11 balles restantes dans le visage de son adversaire.

Sur la pelouse extérieure, un gros chat roux observait la maison avec ses grands yeux jaunes. Sa queue tiqua lorsqu'une fenêtre éclata et que des flammes en sortirent pour venir embrasser la température décroissante de la nuit.

Le chat produisit un étrange miaulement, puis inclina sa tête légèrement sur le côté avant de soulever son menton pour observer une bouffée de fumée rouge s'élever de la cheminée de la maison enflammée avant de disparaître dans la nuit.

Une seconde plus tard, tandis que les sirènes hurlaient à la vie au loin et que la maison crépitait vivement et de tous ses feux, le chat roux se retourna et s'esquiva en vitesse, disparaissant lui aussi.

* * *

Thanatos, qui se faisait appeler Thane la plupart du temps, s'agenouilla à côté de son dernier projet et glissa son bras sur son front. Il n'était habituellement pas embêté par la température ou le climat ; tous deux glissaient sur lui comme sur un fantôme. Mais aujourd'hui, il n'était pas en grande forme.

Le roi des fantômes pouvait passer beaucoup de temps sans dormir. Des jours, des semaines ou même des mois. Mais de temps à autre, l'énergie qui faisait de lui qui il était et ce qu'il était avait besoin d'être renouvelée. Il avait donc dormi la nuit dernière, et les rêves étaient alors venus.

Il s'était retrouvé debout dans le désert, seul comme à son habitude. L'air avait changé, devenant plus sombre, puis des carreaux s'étaient dessinés sur le sol, comme un immense échiquier. Une silhouette était apparue au loin, définie par l'horizon. Il avait pu voir ses longs cheveux être balayés par le vent et ses reflets ressembler à des flammes sous l'éclat du soleil. Il n'avait cependant rien pu voir d'autre, malgré la vitesse à laquelle il avait couru vers elle et la durée de son rêve.

Il se demanda s'il y avait là un lien avec les 13 rois et 13 reines dont le roi des vampires leur avait parlé lors d'une réunion quelques mois auparavant. Il se le demanda... mais tenta de ne pas trop y penser, car de telles pensées pouvaient rendre un homme cinglé.

Il se retrouvait maintenant entier de nouveau sur le plan physique après une nuit remplie de rêve, mais il était épuisé mentalement. C'était une nouvelle sensation pour lui et il se sentait facilement irritable et même *méchant*.

Thane pinça l'arête de son nez et ferma ses yeux, puis il sentit la présence derrière lui de la même façon dont il la ressentait toujours, ou presque. C'était une perturbation dans l'air, une sensation instable, comme si le vent se préparait à prendre une inspiration avant de se mettre à souffler.

Thane fit alors ce qu'il faisait toujours quand il ressentait cette perturbation particulière. Il rangea l'outil qu'il avait alors en main dans la boîte à outils à sa droite puis il se leva, se dressant à sa pleine taille impressionnante avant de tendre la main vers le chiffon sur le dessus de son banc de travail pour essuyer ses mains couvertes de graisse.

Il se tourna ensuite vers l'obscurité poussiéreuse et relativement fraîche de son garage et attendit tandis que l'air devant lui miroitait, se déformait et se séparait.

Les scientifiques de génie avaient visé juste lorsqu'ils avaient prétendu que tout était relatif. Le *temps* était relatif. Particulièrement ici, dans le royaume de Thanatos.

C'était le purgatoire, une couche désolée de réalité, clairsemée, désespérée et sèche. C'était du moins le cas en ce moment. Il semblait changer avec le temps, devenant le reflet de l'homme qui y régnait. Et puisque Thanatos avait été de cette humeur pour plusieurs des derniers siècles, c'était aussi cette humeur qui se dégageait de son plan. Le vaste désert s'étirait à perte de vue, ses frontières éloignées se mêlant à celles du plan astral et aux vagues frontières inconcevables de la réalité.

C'était la terre des âmes perdues, l'endroit où les esprits venaient mourir.

Le royaume de Thane accueillait chaque « essence » de chaque être humain qui avait connu une mort inopportune et injuste dans le monde matériel. Et parce qu'il y avait simplement un trop grand nombre de ces décès en raison des guerres et des homicides, le temps fonctionnait différemment dans le purgatoire. Il s'allongeait, transformant les secondes en jours et les années en siècles.

En tant que roi des fantômes, Thane dominait ce cercle temporel sur lequel la physique quantique n'avait pas d'emprise et traitait avec la pléthore de morts injustes sur une base individuelle.

C'était ce qu'il faisait maintenant.

L'air dans le garage devant lui cessa de s'entrouvrir et une silhouette humaine s'amalgama dans cette fente étrange aux allures de portail. Elle crépita et miroita avant de prendre une forme mâle solide, debout sur ses pieds bottés juste devant Thane, avant que l'air autour d'elle ne se referme une fois de plus, remplissant l'espace avec le son du tonnerre.

Thane y était habitué, mais ce n'était bien sûr pas le cas pour cet esprit. Le roi des fantômes observa et attendit patiemment tandis que cet homme nouvellement formé plaquait ses mains sur ses oreilles et se baissait rapidement d'un geste réflexe.

L'homme se redressa lentement quelques secondes plus tard, puis il baissa ses mains et regarda Thane et le garage autour de lui avec des yeux franchement terrifiés.

Thane fronça les sourcils. Il y avait quelque chose de familier à propos de cet homme. Ce n'était pas que Thane le reconnaissait de quelque part. C'était plutôt la signature de l'énergie qui était véhiculée par son corps. Comme une aura. Il était certain de l'avoir déjà ressentie quelque part auparavant.

— Où suis-je? demanda l'homme. Et qui êtes-vous, par le diable?

Sa voix était rauque et légèrement enrouée, comme s'il venait tout juste de crier à tue-tête. L'expérience de Thane lui permettait de savoir qu'il venait de livrer un combat. Il était également habillé des pieds à la tête et si Thane ne se trompait pas, il dégageait une petite odeur de feu.

Son regard argenté se plissa.

— Ne me dites pas que quelqu'un vous a incendié.

C'était là la seule chose qui aurait été un tant soit peu logique. C'était toutefois un étrange moyen de tuer quelqu'un.

L'homme devant lui continua de le fixer du regard et Thane eut l'occasion de le regarder sous toutes ses coutures. Il était manifestement Américain, étant donné ce qu'il avait déjà dit et l'accent qui avait teinté ses paroles. De plus, la magie de Thane lui donnait toujours des informations de base au sujet d'un esprit lorsque l'un d'entre eux apparaissait dans son royaume. Celui-ci avait grandi en tant qu'orphelin et n'avait plus aucune famille vivante. Il était le dernier de sa lignée.

Il était grand et bien bâti, avec des allures de dur.

— Vous êtes un flic, n'est-ce pas? raisonna tranquillement Thane.

L'homme avala sa salive avec difficulté et se redressa.

— Je suis mort, n'est-ce pas?

— J'ai posé ma question en premier, insista Thane en essayant de ne pas sourire.

Il n'avait *vraiment pas* beaucoup d'occasions de s'amuser dans son domaine et encore une fois, il se sentait méchant. Il y avait également quelque chose à propos de cet homme qui l'agaçait.

L'homme le regarda en silence pendant plusieurs longs moments de contemplation ; des moments que Thane étirait par magie dans la ligne du temps à venir. Après tout, une autre victime de meurtre allait faire son entrée d'une minute à l'autre.

— Détective, corrigea l'homme en se redressant encore un peu et en tentant manifestement de reprendre la maîtrise de ses facultés. Détective Steven Lazare.

Thane hocha la tête à une seule reprise.

— Et maintenant, je vous en prie, dites-moi si je suis mort, continua le détective, l'air désespéré.

— Oh ouais, confirma Thane en hochant la tête tout en tournant le dos au détective pendant une seconde avant de se pencher pour reprendre l'outil dont il se servait un peu plus tôt. Aussi mort qu'on peut l'être, compléta-t-il en se redressant.

Il jeta un coup d'œil à Lazare, et le détective s'avança immédiatement vers lui, ses mains paumes vers le haut face à Thane comme s'il voulait le supplier de faire quelque chose. Thane fronça les sourcils tandis que quelque chose d'étrange déferlait sur lui. L'onde précéda le policier comme une petite vague sombre, propice à produire des picotements sur la peau. Ce n'était pas désagréable, mais il en fut surpris. Thane recula inconsciemment d'un pas et sa jambe se retrouva contre le côté de la moto sur laquelle il venait de bricoler.

Le policier continua à s'approcher de lui et Thane souleva sa main devant lui d'un geste réflexe. L'Anime s'arrêta subitement, clignant des yeux de confusion et baissant son regard sur son corps.

Thane se rendit compte à ce moment que cet Anime particulier avait adopté une forme incroyablement solide. Un tel phénomène se produisait de temps à autre ; la colère ou le désespoir d'un esprit était suffisamment fort que l'énergie qu'il possédait le rendait beaucoup plus tangible. Mais dans ce cas-ci… c'était comme si le corps du détective avait simplement été reformé. Dans sa *totalité*.

Thane regarda du coin de l'œil la large poitrine de Lazare. Il ne pouvait pas voir à travers elle. Pas du tout. Même quand il s'en donnait réellement la peine.

— Merde, murmura-t-il, se parlant davantage à lui-même qu'à Lazare, qui était manifestement perplexe par rapport au fait qu'il s'était arrêté brusquement quand Thane avait soulevé sa main.

Le détective tenta de bouger et de se remettre à avancer, mais il demeura coincé sur place grâce à la magie de Thane.

— Vous êtes imprévisible et énergique, n'est-ce pas? interrogea Thane en s'adressant lui-même la parole.

Mais cette fois, les yeux bleus du détective se plissèrent sur Thane, projetant des étincelles bleu vert.

— Si je suis mort, où suis-je donc, merde?

— Au purgatoire, déclara Thane.

Il se demanda ce qu'il allait faire de ce type-là. Les esprits qui étaient vraiment en colère lui causaient souvent des problèmes. Mais ces accrocs ne le dérangeaient pas vraiment, en fait. La vie devenait incroyablement ennuyeuse quand il n'y avait pas d'agitateurs occasionnels à gérer.

Il y avait toutefois quelque chose de complètement et d'entièrement différent et inconfortable à propos de l'homme qui se tenait maintenant devant lui. Les méninges de Thane s'activaient dans sa tête très rapidement tandis qu'il tentait de déterminer ce que cela pouvait bien être.

— Et le démon qui m'a tué?

Thane cligna des yeux.

— Le démon?

Son attention se concentra sur lui.

— Le démon qui s'est lancé aux trousses de ma petite amie ! siffla le détective.

Si Thane n'avait pas été le roi des fantômes, qu'il n'avait pas été bien conscient que les démons existaient vraiment, que ces derniers avaient effectivement tendance à se lancer aux trousses des petites amies des gens et qu'il n'avait pas eu la preuve d'une tricherie démoniaque sous la forme d'un esprit devant lui séance tenante, il aurait bien pu étiqueter automatiquement ce policier comme étant un fou.

Thane en avait cependant vu d'autres.

— Vous avez été incendié par un démon qui vous a tué pour se lancer aux trousses de votre petite amie.

Il mettait les choses au point dans sa tête en pensant à haute voix.

Le détective lui adressa un regard furieux.

— Vous ne m'avez pas répondu, pesta Lazare, ses dents blanches serrées avec une colère impatiente. Je lui ai tiré dessus en pleine tête à bout portant, poursuivit-il. *À 11 reprises*. Et *lui*, où est-il donc, bordel de merde ?

Le détective leva ses bras et désigna des mains le garage et la ville fantôme remplie de poussière au-delà.

— Est-il ici quelque part aussi ?

Thane n'était pas certain de savoir comment répondre à cette question. La vérité était qu'il n'avait jamais eu à traiter avec un esprit aussi animé que celui-là. Il n'était pas certain du type de démon qu'il avait affronté et d'ailleurs, personne n'avait d'idée réelle de ce qui arrivait aux démons quand ils mouraient, *s'ils* mouraient.

Cet aspect sombre que Thane avait ressenti plus tôt flottait autour du détective comme de la poussière d'elfe noir. Thane pouvait le voir maintenant. C'était plutôt beau, sincèrement.

Mais c'était aussi de mauvais augure et Thane se sentit chargé d'agitation.

Le détective secoua soudainement sa tête et laissa tomber ses mains sur les côtés de son corps comme s'il rendait les armes.

— Et puis merde, cracha-t-il. Siobhan a besoin de moi. Elle est seule et il n'est pas nécessaire d'être un détective de premier ordre pour comprendre que vous ne me répondez pas parce que ce satané démon est encore là, en plein où je l'ai laissé.

Il secoua sa tête, son expression férocement déterminée.

— Et puis *merde*, répéta-t-il.

Et là, pour la première fois dans l'histoire du royaume désolé et dans celle du roi des fantômes, Thanatos observa un de ses Animes retourner dans son garage, et l'air derrière lui s'entrouvrit de nouveau.

Le détective Steven Lazare retraita en plein dans ce nouvel espace et fut aussitôt entouré par des fissures de lumière et de magie.

Thane se précipita avant de savoir ce qu'il faisait. Il n'était même pas certain de savoir de quoi il était témoin, mais il savait qu'il devait faire quelque chose. Peu importe ce que c'était.

Il était cependant trop tard.

Cette belle obscurité pétillante qui avait grandi autour du détective s'enveloppa autour de lui comme une couverture bien serrée de la couleur d'une nuit étoilée. Thane s'approcha de plus belle et cette couverture aspira le détective Lazare par la fente dans l'air, recouvrant le trou jusqu'à ce qu'il diminue tel un feu privé d'oxygène avant de fouetter vers l'extérieur dans un étrange flash noir.

L'air émit de nouveau le bruit du tonnerre, comme il le faisait toujours quand il se scellait, et Thane s'arrêta en dérapant. Il fixa l'espace où l'esprit nouvellement formé était entré dans son monde, avant de s'en échapper par la suite.

Une telle chose ne s'était jamais produite auparavant. Jamais.

— Lazare, chuchota Thane en laissant le nom et sa significa-tion historique glisser sur sa langue.

Il prit alors une lente et profonde inspiration et glissa une main dans son épaisse chevelure noire. La vie du roi des fan-tômes venait de devenir diablement plus intéressante.

CHAPITRE 1

Siobhan Ashdown fit claquer la portière de sa voiture et leva les yeux vers la maison. L'agente immobilière avait déjà 10 pas d'avance sur elle et bataillait avec la boîte à clé métallique accrochée à la poignée de la porte avant de la maison. Siobhan ne bougea pas de l'endroit où elle se trouvait, ses yeux brun clair se plissant pour regarder la façade de la maison, ses cheveux auburn frottant contre ses joues, son cou et ses bras nus.

Un peu plus loin dans la rue, une voiture de police se trouvait à une distance discrète et ses occupants observaient silencieusement Siobhan, mais elle pouvait sentir leur présence aussi fortement que s'ils s'étaient retrouvés dans sa bulle. Elle se retourna et leur décocha un sourire qui voulait dire « je sais que vous êtes là et j'en suis reconnaissante », avant de les saluer de la main et de noter le signal de phares qu'ils émirent en retour. Elle ramena alors son regard sur la maison.

C'était une maison de style victorien et selon les informations à son sujet, il avait été construit 113 ans plus tôt. Son âge était manifeste d'après ce que Siobhan pouvait voir. Le balcon qui faisait le tour de la demeure avait des poutres brisées et il était surmonté d'un toit affaissé recouvert de tuiles craquées et fendues. La moitié des fenêtres des trois étages de la maison étaient brisées ou couvertes avec des planches. La cheminée en briques rouges qui dépassait du toit supérieur avait la moitié de la taille qu'elle aurait dû avoir et s'émiettait rapidement à sa base.

Le recouvrement extérieur en bois de l'immeuble avait été peint si souvent qu'il était difficile de déterminer quelle couche de peinture était censée être la plus récente, et les terres entourant la maison étaient un ramassis de massifs de roses, d'arbustes et de mauvaises herbes morts ou mourants.

Un œil avisé pouvait cependant déceler des motifs ornementaux dans le bois qui évoquaient le travail patient et habile d'un artisan. Certaines des fenêtres encore intactes étaient ornées de vitraux représentant des personnages portant de beaux vêtements et prenant des poses gracieuses. La fondation de la maison donnait l'impression artistique de ponts en bois allemands enjambant des ruisseaux émetteurs de clapotis. Les bardeaux en bois étaient peut-être moisis ou manquants, mais autrefois, cette demeure avait été créée avec beaucoup d'amour.

Tandis que Siobhan restait sur place et admirait la vue, l'agente immobilière se redressait sur le porche avant et jetait un coup d'œil inquiet par-dessus l'épaule de son blazer bleu foncé à épaulettes. Le nom de l'agente était Jane, ce que Siobhan trouva secrètement amusant. On aurait dit que toutes les agentes immobilières que Siobhan avait jamais rencontrées s'appelaient Jane.

Jane pensait sans doute à ce moment que Siobhan avait changé d'avis. En fait, Jane avait probablement perdu tout espoir avant même qu'elle eût seulement permis à ce dernier de s'installer. La maison était sur le marché depuis deux longues années. Aucune agente saine d'esprit ne commencerait à ressentir de l'espoir en ce moment.

Siobhan n'avait cependant pas changé d'avis. Elle n'allait pas prendre ses jambes à son cou et s'enfuir. Elle n'était pas ce genre de fille.

Siobhan esquissa un sourire qui se voulait rassurant et s'éloigna de sa voiture en suivant l'allée cimentée qui menait jusqu'au porche avant. Le ciment, craquelé et envahi par de mauvaises herbes jaunies que quelqu'un avait pulvérisées d'herbicide sans enthousiasme, ne faisait manifestement pas partie de la maison d'origine et avait été ajouté bien des années plus tard. Siobhan compta les fentes ; elle ne pouvait pas s'en empêcher. C'était quelque chose qu'elle faisait toujours. Elle en compta 32 avant d'atteindre la première marche.

Les innombrables changements de saison avaient fait peler la peinture sur les marches en frisettes bouclées et en médiators blancs qui ressemblaient à des écailles qu'aurait perdues un dragon. Le bois déformé avait craqué sous la peinture, gris foncé et sec comme un os.

Cinq marches jusqu'au sommet.

La maison sembla pencher vers Siobhan lorsqu'elle parvint au sommet et se tint devant la porte. Jane lui adressa un faible sourire et se tourna pour ouvrir la porte. Siobhan remarqua la clé qu'elle utilisait : un passe-partout.

— Comme je l'ai mentionné auparavant, cette maison est inhabitée depuis un certain temps. Vous pouvez voir qu'il a besoin d'un peu d'entretien, indiqua Jane en bataillant avec la serrure.

La clé avait glissé à l'intérieur, mais elle ne semblait pas vouloir tourner. Siobhan observa la femme lutter avec la serrure pendant un moment tandis qu'elle continuait de parler.

— Le dernier propriétaire a accepté de fournir une allocation permettant de couvrir les frais de réparation et les frais connexes à la conclusion de la vente, et le prix a été réduit à deux reprises.

Après quelques secondes de tentatives frustrantes, l'agente retira la clé, lui lança un regard dur puis la réinséra pour tenter de la faire tourner une fois de plus.

— Je ne sais pas pourquoi ils n'ont jamais remplacé ces serrures, marmonna-t-elle tout en manipulant la clé. Ce n'est pas sécuritaire de conserver les mêmes serrures d'un propriétaire à un autre.

Son sac à main glissa de son épaule et se retrouva dans le creux de son bras. Quelques mèches de ses cheveux blond pâle s'étaient échappées de son chignon à la hauteur de sa nuque pour ensuite friser autour de son visage sous l'effet de l'humidité du début du mois de mai.

— Combien y a-t-il eu de propriétaires ? demanda Siobhan en ne se souciant pas vraiment du nombre.

Elle posait la question simplement parce qu'elle ressentait le besoin de combler le silence avec du papotage. Les nerfs de Jane étaient tellement à bout que Siobhan pouvait presque voir leurs extrémités se balancer dans la brise.

— Eh bien…, répondit Jane, légèrement hors d'haleine. Il faudrait que je revérifie mes notes, mais je crois qu'il y en a eu environ une douzaine.

Elle cessa de tripoter la clé un moment, adressa un demi-sourire à Siobhan par-dessus son épaule et ajouta :

— C'est une vieille maison.

— Voudriez-vous un peu d'aide avec ça ? demanda Siobhan, son regard passant de Jane à la clé qu'elle tenait fermement contre les bouts blancs de ses doigts.

L'agente immobilière baissa les yeux vers la clé puis son regard remonta. Siobhan savait à quoi elle pensait. Qu'est-ce qui lui faisait croire qu'elle pourrait faire fonctionner la clé alors que Jane n'y arrivait pas ?

— Je suis douée avec les vieilles choses, expliqua Siobhan.

Elle haussa les épaules et sourit timidement, espérant que cela ferait l'affaire.

— Oh, émit Jane.

Elle se redressa et retira la clé de la porte.

— Mais faites donc! Deux têtes valent souvent mieux qu'une.

Siobhan tendit sa main et l'agente déposa la clé dans sa paume. Ses doigts se refermèrent sur le vieux métal, détectant immédiatement le léger bourdonnement qui était produit à sa surface. C'était quelque chose que Jane n'aurait pas pu détecter. La plupart des humains n'y parviendraient pas, en fait. Mais *Siobhan* le pouvait.

Elle adressa un sourire rassurant à l'agente immobilière puis se pencha et inséra de nouveau la clé dans la serrure récalcitrante. La clé tourna immédiatement dans la serrure, presque par elle-même, et la porte s'ouvrit en s'éloignant de sa poigne.

Le regard de Siobhan se plissa avec irritation sur l'embrasure ouverte. Elle sentit sa magie se hérisser au moment où l'air frais de l'intérieur de la maison quittait cette dernière et se dissipait sur le porche en bois à la hauteur de leurs pieds.

— Houla, dit l'agente, qui était occupée à lisser les plis de son tailleur et à replacer sa chevelure.

Elle fit remonter son sac à main sur son épaule et donna à Siobhan un vif hochement de tête approbateur.

— Vous êtes *vraiment* douée avec les vieilles choses.

Vous n'en avez aucune idée, pensa Siobhan.

— Eh bien, entrez, indiqua Jane en franchissant le seuil de la maison jusque dans les ombres au-delà de ce dernier.

Ses escarpins en cuir verni perdirent leur couleur bleu foncé en se fondant dans l'obscurité terne de l'intérieur de la maison.

— L'électricité est coupée depuis un certain temps maintenant, comme vous pouvez l'imaginer, mais je vais ouvrir quelques fenêtres et vous pourrez ainsi vous faire une petite idée de la demeure.

Siobhan la suivit à l'intérieur. Son regard se leva vers les chevrons et les coins duveteux remplis de toiles d'araignée et de trous laissés par des termites. Elle étouffa une forte envie de rire. *Aucune personne sensée n'achèterait cette maison.* Ce n'était pas d'entretien dont elle avait besoin. C'était d'un bulldozer.

Mais alors qu'elle entretenait cette pensée, ses yeux dévièrent vers la rampe sculptée de manière experte qui menait au deuxième étage et elle fronça les sourcils. *D'accord,* admit-elle à contrecœur. *Elle n'avait pas besoin d'un bulldozer.*

Elle avait besoin *d'elle.*

Une seconde plus tard, Jane réapparut sous l'embrasure voûtée qui menait à la salle à manger et à la cuisine un peu plus loin. Elle frotta bruyamment ses mains l'une contre l'autre pour en retirer la poussière, et ses cheveux s'étaient de nouveau glissés hors de son chignon.

— Je suis parvenue à ouvrir les fenêtres…

— Je vais l'acheter, l'interrompit Siobhan.

Jane s'arrêta brusquement et la fixa du regard en clignant de ses yeux agrandis.

Siobhan sourit et haussa les épaules.

— Quand puis-je emménager?

* * *

Elle s'arrêta tout juste après être entrée dans la salle de séjour et laissa tomber le lourd fauteuil berçant capitonné qu'elle avait porté jusque-là. Le fauteuil souleva un nuage de poussière tout en tombant sur les planches en bois avec fracas, mais Siobhan ignora tout ça en se servant du dessous de son avant-bras pour essuyer la sueur de son front.

— Ça ne me dérange pas que tu sois là, Steven, mais je dois admettre que je regrette que tu ne sois pas sous une forme solide en ce moment. Cette merde est lourde.

Siobhan soupira et se laissa choir dans le fauteuil avant d'appuyer sa tête contre l'appui-tête et de fermer ses yeux. Elle avait remercié le détachement policier plus tôt en ce même après-midi. Cela faisait maintenant 10 jours que Steven était mort, et elle trouvait lourd et étrange d'avoir des policiers qui la surveillaient 24 heures sur 24, 7 jours sur 7. Elle se sentait également coupable. Salem était juste à côté de Boston à vol d'oiseau. Boston était une grande ville, souvent dangereuse, et il y avait certainement des endroits où il serait plus utile de disposer d'un duo de policiers, au lieu de les confiner dans une voiture garée de l'autre côté de la rue de sa nouvelle demeure abîmée et encore inhabitée.

Il fallut donc qu'elle déplace ses meubles toute seule et après quatre heures passées à traîner de lourdes choses, elle avait presque terminé, et était presque au bout du rouleau.

Elle pouvait sentir le fantôme de Steven planer à côté d'elle sur sa gauche.

Le fantôme de Steven.

Elle était rentrée à la maison dans la nuit de lundi à mardi une semaine et demie plus tôt. Sa rue était barrée par des camions de pompier et des ambulances, et sa maison était en feu. Le secteur tout entier avait alors dégagé une odeur maléfique.

Siobhan était une femme-sorcier. Si quelqu'un dans le monde comprenait le pouvoir et l'attraction du mal, c'était bien elle. Elle le combattait chaque jour.

Elle était née avec des prédispositions pour la magie 28 ans plus tôt. Ses habiletés n'étaient bien sûr pas devenues apparentes immédiatement, mais quelques années plus tard, à l'âge de huit ans, elle avait inconsciemment et par télékinésie coincé les doigts de sa mère dans le tiroir de la cuisine parce qu'elle ne parvenait pas à placer un mot quand elle était en compagnie de ses nombreux frères et sœurs. *Cela* avait attiré l'attention de sa mère.

Ainsi que celle de Siobhan. Et la sensation avait été épouvantable.

C'était la première fois que sa magie avait montré son visage et causé du mal. Depuis ce temps, Siobhan déployait de grands efforts pour maîtriser ses émotions. Si elle ne le faisait pas, de vilaines choses se produisaient.

Plusieurs années plus tard, un ami avait organisé une soirée cinéma de bons vieux films et Siobhan avait observé une très jeune Drew Barrymore tuer des gens avec de grosses boules de feu. Elle avait fixé du regard cette enfant à l'écran et s'était sentie comme un imposteur parmi les humains. Il y avait devant ses yeux quelqu'un qui possédait une magie dangereuse, une magie qu'elle pouvait à peine maîtriser, et c'était si fantastique et incroyable que ça formait la base d'un film d'horreur teinté de science-fiction.

Le film lui rappelait elle-même et le secret qu'elle avait gardé pendant toute son enfance.

De temps à autre, elle pensait à se rendre à une assemblée wiccane de sorcières ou quelque chose de semblable pour essayer d'obtenir de l'aide. Pour parler à quelqu'un. Pour tenter de comprendre les choses.

Ces sorcières étaient cependant si différentes de Siobhan que leurs positions semblaient être inconciliables. Elles insistaient sur une philosophie selon laquelle « aucun mal ne devait être fait à quiconque », et en tout temps, la magie à l'intérieur de Siobhan la suppliait de faire le contraire. C'était une magie méchante et plutôt volatile.

Le pouvoir de Siobhan n'était pas le pouvoir d'une sorcière moderne. Il n'avait rien à voir avec des chaudrons, des herbes ou des cristaux. C'était un pouvoir de colère, de haine et de vengeance… Et… il était *réel*.

Jour après jour, nuit après nuit, année après année, Siobhan luttait pour réellement comprendre ce qu'elle était et comment traiter avec tout ça, et elle le faisait seule. Le fait qu'elle soit l'enfant la plus jeune d'une famille de quatre filles et de trois garçons rendait sa tâche à la fois plus difficile et plus simple. Il fallait constamment qu'elle dissimule sa nature, mais c'était comme se cacher à New York ; il y avait toujours quelqu'un d'autre qui attirait l'attention à sa place.

À l'école secondaire, elle était la jeune fille attirante mais impopulaire que les auteurs de romans pour jeunes adultes aiment faire naître sous leurs plumes, sauf qu'à son époque, il n'y avait pas eu de vampire magnifique pour la sauver ni de loup-garou bien charpenté pour la protéger. Il n'y avait qu'elle, devant constamment livrer bataille avec son propre caractère impétueux et la magie qui vibrait dans ses veines en la suppliant de la libérer.

Cet effort était ardu, c'était le moins qu'on puisse dire. À mesure que le temps passait, les effets épuisants de sa lutte constante contre elle-même avaient pris des formes différentes. Elle avait développé des tendances portées sur les troubles obsessionnels-compulsifs, un peu d'insomnie et un besoin ferme et irrépressible de boire au moins cinq tasses de thé irlandais fort par jour.

D'autres choses s'étaient également produites. Elle était peu à peu devenue consciente de la quatrième dimension de la réalité autour d'elle. Dans la vie, il n'y avait pas les humains, les animaux et puis elle, différente des autres et seule dans cette différence. Il y avait plutôt des humains, des animaux et de la *magie*.

Cette magie coulait dans les veines des races surnaturelles dont elle avait seulement pu rêver à une certaine époque, mais ces dernières la suivaient et la traquaient maintenant tout en la remarquant même lorsqu'aucun autre humain ne le faisait. La première rencontre qu'elle avait faite avec une de ces races était avec une enfant Akyri.

Une enfant Akyri affamée.

Siobhan avait 13 ans à l'époque et la petite fille, qui ne devait pas avoir plus de 4 ou 5 ans, avait regardé Siobhan comme si elle était un Big Mac à la fin d'un marathon. Elle était affamée de magie et Siobhan ressemblait à un buffet.

Au cours des 15 années suivantes, Siobhan en avait appris davantage à propos de ces Akyri et de leurs rapports symbiotiques avec les sorciers, et elle en était venue à accepter qu'elle était une femme-sorcier. Une utilisatrice de la magie noire.

Qu'elle aime ça ou non.

Les sorcières et les sorciers n'étaient pas faits, ni entraînés, ni formés. Ils n'étaient pas façonnés par leurs environnements ou élevés d'une façon ou d'une autre. Ils étaient *nés* ainsi. Et c'était aussi simple que ça. Siobhan n'avait aucune idée de la raison pour laquelle elle possédait les capacités qui étaient les siennes et que ses frères et ses sœurs n'en avaient pas. Elle n'avait aucune idée pourquoi ses capacités étaient *sombres*, teintées de colère comme les vieilles maisons étaient infectées par la moisissure. C'était toutefois cette main qui lui avait été distribuée par la vie et elle en était venue à accepter qu'elle devrait toujours lutter contre ça.

Elle n'avait bien sûr pas à lutter contre ça. Elle le savait. Sa magie le lui rappelait à maintes reprises, l'exhortant, la massant et chuchotant dans ses oreilles : *Abandonne. Cède. Laisse-moi m'en occuper.*

Mais si elle le faisait, elle deviendrait quelque chose qu'elle ne voulait pas être du plus profond de son cœur. Ce n'était simplement pas elle.

Alors au bout du compte, elle devenait de plus en plus fatiguée chaque jour et se fiait de plus en plus au thé et au café, faisait la grasse matinée et tentait de se distraire avec le travail. Puisqu'elle n'aimait pas avoir la chance de perdre son calme en présence de quelqu'un d'autre, elle essayait de demeurer seule avec elle-même autant que possible, et son « travail » consistait à trouver des antiquités, à se servir de la magie pour les restaurer à leur état neuf et à les vendre en ligne. Elle y était douée. Il y avait quelque chose à propos de la magie qui coulait dans ses veines qui se prêtait bien au fait de traiter avec des choses qui n'étaient plus dans la fleur de l'âge. Des vieilles choses. Des choses usées. Parfois même des choses mortes.

Elle avait vu un coyote happé par un autobus à un moment où elle voyageait dans le sud-ouest. Il avait une patte noire. Quelques nuits plus tard, elle avait constaté que ce même coyote à la patte noire rôdait autour de sa voiture dans le terrain de stationnement du motel. Elle n'avait aucune idée du comment et du pourquoi, mais de tels phénomènes se produisaient. Des choses mortes trouvaient le moyen de se rendre jusqu'à elle. Et parfois, comme c'était le cas avec les antiquités qu'elle achetait et vendait, elle les ramenait à la vie.

Elle gagnait bien sa vie, mais l'argent n'était pas le plus grand avantage relié au métier qu'elle faisait. C'était plutôt le fait de pouvoir conduire la voiture qu'elle possédait, une Ford Mustang 1965 d'un noir de jais construite lors de la première année où Ford avait commencé à glisser des moteurs plus puissants de 225 chevaux-vapeur sous le capot de ses poneys, comme si elle venait de sortir de l'usine. C'était de pouvoir porter la même paire de jeans ajustés pendant 13 ans. Et c'était cette maison, oubliée, laissée derrière et sur le point de s'écrouler, et l'apparence qu'elle aurait lorsque sa magie en aurait fini avec elle.

Siobhan ouvrit ses yeux et leva son regard vers les chevrons craqués au-dessus d'elle. Lorsque le rideau de la nuit tomberait en lui offrant l'intimité requise pour ce faire, elle n'aurait qu'à lancer un seul sort puissant pour réparer l'intérieur de la maison si rapidement et complètement que ce serait comme si la maison avait remonté le temps. L'*extérieur* de la demeure prendrait un peu plus de temps. Ça ne serait pas une bonne idée pour Siobhan de jeter un sort qui effectuerait toutes les réparations requises à l'extérieur d'un seul coup. Quelqu'un allait sûrement remarquer un changement aussi important.

Elle le réparerait plutôt peu à peu, un sort par ici et un autre par là, et dans quelques semaines, les voisins passeraient devant sa maison et y jetteraient un coup d'œil avant de signifier leur approbation d'un hochement de tête pour tout le travail qu'elle aurait fait pour restaurer la vieille maison de style victorien.

En attendant, elle se devait de donner à ces efforts une apparence de normalité. Elle traîna donc ses meubles du fourgon à l'extérieur jusqu'à l'intérieur sombre et frais de la maison et s'émerveilla de constater que personne ne s'était jamais proposé pour lui offrir de l'aide. Elle était l'étrangère dans la ville. Elle était celle qui achetait la « maison hantée », la « maison maudite », et elle était rousse par-dessus le marché.

Siobhan sourit, se redressa bien droite dans sa position assise et soupira lourdement. Une fine volute d'énergie blanche frôla sa main à côté d'elle, attirant son attention.

Steven.

Elle l'avait rencontré six mois plus tôt dans un café où lui et quelques autres policiers s'arrêtaient parfois pour profiter d'une boisson chaude et d'une pause. Ils avaient entamé le dialogue. Elle avait été impressionnée par plusieurs choses à propos de lui : son apparence, bien sûr, et la confiance qui émanait de lui. Il y avait également un pouvoir inexploité en lui ; la magie en elle l'avait reconnu, même si c'était tout à fait humain et pas réellement magique en soi. Plus que tout, il y avait l'intelligence dans son regard.

Et il avait en main une copie aux pages cornées de Macbeth. Cela ressemblait à un signe du destin.

Il l'avait observée avec un intérêt quelque peu étrange, comme s'il savait qu'elle avait un secret et qu'il mourait d'envie de le connaître. Il y avait également une douceur à propos de lui, quelque chose qui venait sabler ses abords rugueux. Il était dur, mais gentil. Et elle était intriguée.

Ils s'étaient fréquentés pendant deux mois avant qu'il ne la voie en train d'utiliser sa magie. Elle était à mettre la touche finale à une montre à gousset en or 18 carats qu'elle s'était procurée à une vente aux enchères et elle pensait avoir fermé la porte, ce qui n'était apparemment pas le cas. Il était entré dans la pièce pendant que la montre était suspendue dans les airs, tournant sur elle-même comme une toupie, devenant de plus en plus brillante et fonctionnelle.

Au lieu de perdre la tête comme elle s'y attendait, Steven avait semblé… presque ravi. Comme s'il avait inconsciemment su ce qu'elle était pendant tout ce temps et avait simplement attendu d'en avoir la preuve.

Il avait accepté son don, il l'avait acceptée, *elle*, et puisqu'il était détective, habitué de conserver des preuves sous scellés, et orphelin avec un passé quelque peu brouillé, il avait gardé son secret et elle lui avait fait confiance.

Deux mois plus tard, ils étaient devenus suffisamment à l'aise pour commencer à passer du temps dans leurs maisons respectives. Ils s'étaient échangé leurs clés et avaient laissé quelques trucs chacun de leur côté pour ces moments où ils ne dormaient pas dans leur demeure.

Deux mois plus tard, elle était arrivée face à une maison en flammes et son petit ami était mort.

Et maintenant, une semaine et demie après l'événement, il était un fantôme vivant aux limites de sa réalité, toujours quelque part près d'elle, mais tout juste hors de sa portée. Elle ne savait pas quoi en faire. Elle ne savait pas du tout quoi en penser. Que s'était-il passé cette nuit-là ? Les membres de l'équipe de la police scientifique et leurs enquêteurs ainsi que les experts en assurances en matière d'incendies criminels avaient tous présentés des conclusions vagues et étranges, et personne n'avait été en mesure de déterminer exactement comment le feu avait pris naissance, ce qui avait pu le déclencher ou comment Steven avait été pris au piège par ce dernier.

Puisque Siobhan avait été la petite amie de Steven et que la maison avait été la sienne, on lui avait offert une protection policière plus importante que dans des circonstances normales. Après tout, lorsqu'ils avaient trouvé le corps de Steven tenant encore son arme à feu dans sa main, ils avaient découvert que la totalité des 15 balles avaient été tirées. Il n'y avait aucune raison justifiant de tenir une arme à feu déchargée dans sa main et Steven l'aurait su mieux que quiconque.

Il avait probablement été assassiné. C'était le consensus qui s'en dégageait.

Le problème était toutefois que personne ne pouvait dire *comment* il l'avait été et encore moins *pourquoi*.

Dans l'intimité d'une chambre d'hôtel silencieuse au plus profond de la nuit, Siobhan avait tenté de jeter un sort qui lui aurait permis de voir les événements qui s'étaient produits juste avant que le feu éclate, mais elle avait échoué dans ses tentatives d'utiliser sa magie en ce sens. Elle n'avait rien pu voir. La mort de Steven demeurait un mystère.

Siobhan fronça les sourcils et leva les yeux vers la mince vapeur qui s'éloigna d'elle et de son fauteuil avant de traverser la salle de séjour. Elle passa sous l'embrasure voûtée qui conduisait hors des pièces reliées et disparut dans le corridor. Le fantôme de Steven… fort probablement en train d'inspecter la maison alors que la noirceur tombait. Toujours en train de la protéger, même dans la mort.

Siobhan se pencha vers l'avant et posa son visage entre ses mains, permettant à la fraîcheur de ses doigts de la soulager d'une partie de la chaleur de son front. Elle ferma ses yeux de nouveau. Là, derrière ses paupières, elle vit les flammes s'élever vers la lune, huma la mauvaise odeur de la suie et ressentit le poids d'un destin tragique sur sa poitrine. Il n'était presque rien resté du corps de Steven lorsque tout avait été terminé. Et même si son cerveau de femme-sorcier avait brièvement jonglé avec l'idée de le ramener de chez les morts, elle avait su qu'une telle chose serait impossible. Impensable, même.

Elle l'avait donc chassée de son esprit comme si cela aurait été le truc de trop, cette ligne de démarcation entre ce qu'elle était et qui elle était et ce que sa magie voulait qu'elle soit.

Et maintenant, 10 jours plus tard, elle passait ses journées avec une ombre suspendue au-dessus d'elle et le fantôme d'un homme qui s'attardait auprès d'elle en l'observant et en attendant.

Mais pourquoi?

Siobhan appuya ses mains contre ses yeux et secoua sa tête.

La vérité était qu'elle ne voulait pas vraiment le savoir.

CHAPITRE 2

Roman D'Angelo mit un terme à la réunion. Les Treize rois étaient maintenant au courant de la halte soudaine et inattendue des activités des Chasseurs qui s'était produite au cours des 72 dernières heures et seraient en état d'alerte pour toute nouvelle surprise désagréable. Personne n'avait d'indice permettant de savoir pourquoi les Chasseurs avaient disparu, battant en retraite après la série d'attaques aux proportions presque épiques auxquelles ils s'étaient livrés au cours des derniers mois. Cela ne voulait pas dire que le monde surnaturel n'était pas reconnaissant ; seulement sur ses gardes. Et avec raison.

Roman se leva de son siège lorsque les autres firent de même et demeura debout à l'extrémité de la table, attendant silencieusement que les rois se mettent à quitter la pièce un par un. Certains de ces hommes indomptables franchirent la porte de la salle de réunion souterraine de la manière habituelle et utiliseraient fort probablement l'ascenseur gardé pour retourner dans le monde des mortels. D'autres disparurent dans des nuages d'une fumée d'un noir d'encre, se glissèrent dans les ombres ou ouvrirent des fentes dans l'espace et y pénétrèrent. Chacun faisait ce qui lui convenait.

Le roi Akyri, Marius, était toujours un des premiers à partir. Il était l'incarnation d'une beauté magnifique à la Michel-Ange avec ses épais cheveux blonds bouclés et ses yeux saisissants d'un bleu glacier. L'homme utilisait sa beauté à ses fins les plus fructueusement débauchées.

Roman aimait probablement autant Marius qu'il avait aimé Charles Ward. Le roi Akyri était mesquin et cruel, et son apparence était un masque magnifique pour cacher le monstre en lui. Son pouvoir était gonflé par l'aspect sombre de la magie qu'il était obligé d'absorber pour demeurer en vie ; le roi des démons n'était jamais satisfait. C'était un don Juan libidineux qui avait pu approcher tant de femmes-sorciers que Roman l'assimilait à certains des vampires de plus triste notoriété du début de son propre règne. Ces vampires n'étaient plus et il allait bientôt faire en sorte que le roi Akyri ne soit plus, lui non plus. Pour que ce roi soit remplacé, il faudrait par contre qu'il soit tué par un autre Akyri, qui deviendrait alors roi à sa place ; en ce sens, la souveraineté des démons était semblable à la hiérarchie des vampires. Il faudrait un Akyri vraiment puissant et destiné à accomplir un tel exploit.

De plus, la vérité était qu'en matière de *règne*, Marius avait depuis longtemps les choses bien en main avec ses Akyri. Jusqu'à tout récemment, c'était là une chose que Roman ne pouvait lui reprocher, et c'était cette chose qui comptait au sein du Conseil des rois.

Quelques rumeurs étranges avaient émergé depuis peu, selon lesquelles des Akyri voyous attaquaient des sorciers pour absorber leurs pouvoirs. Une telle chose ne s'était jamais produite auparavant, sans doute parce que Marius tenait ses troupes d'une main de fer. Roman se demanda ce qui avait bien pu changer, si tel était le cas. Ce n'était peut-être qu'une rumeur et rien de plus.

C'était un sujet pour une conversation privée qui aurait lieu à un autre moment.

Le roi des sorciers, Jason Alberich, fut un des derniers à quitter la réunion.

Roman remarqua que son attention s'était portée sur le grand jeune homme lorsque Alberich avait lentement repoussé sa chaise avant de se lever. Il était tout de noir vêtu, comme le sorcier avait l'habitude de l'être, mais le côté sombre d'Alberich s'était épaissi d'une façon ou d'une autre. Il n'était plus l'homme relativement inexpérimenté et déchiré qu'il avait été plusieurs mois auparavant.

Maintenant, il était seulement déchiré.

Le front de Roman se plissa légèrement. Lalura le traiterait de sentimental, mais pour une raison ou une autre, la transformation opérée par le roi des sorciers dérangeait Roman. On ne lui avait pas donné le choix.

De toutes les souverainetés du monde surnaturel, celle du roi des sorciers était probablement la plus difficile à assumer. La magie des sorciers était en soi méchante et franchement cruelle de temps en temps, et ceux qui l'exerçaient cédaient le plus souvent à son attrait obscur, devenant des réceptacles propices pour sa magie courroucée. Les sorciers étaient méchants. Du moins, la plupart d'entre eux l'étaient.

Jason Alberich occupait maintenant le trône de leur société. C'était donc à lui qu'incombait la tâche de créer la loi des sorciers, mais aussi de s'assurer qu'elle soit respectée.

Il assumait étonnamment bien sa responsabilité. Pendant que Roman examinait le profil volontaire du sorcier, il lui vint à l'esprit qu'Alberich était né pour ce poste.

Et fort probablement plus que ça encore.

Jusqu'à présent, il y avait eu trois attentats différents à la vie d'Alberich par des sorciers qui estimaient pouvoir faire un meilleur travail que lui pour régner sur leur race. Le roi des sorciers s'était débarrassé d'eux comme s'il avait écrasé des mouches. La puissance qu'il possédait en faisant son entrée dans ce monde avait augmenté de façon exponentielle et avait maintenant pris la forme d'une armure autour de lui, vigoureuse et sombre. Elle se drapait autour de sa grande silhouette comme si elle savait qui était son maître.

Il en avait été ainsi pour Malachi Wraythe, mais Roman devait admettre que Wraythe ne l'avait pas portée avec une telle grâce et une telle aisance. Alberich était un naturel.

Et c'était peut-être la partie cruciale du problème qui dérangeait Roman. Si Alberich était un sorcier naturel, un roi sorcier né, en fait, qu'adviendrait-il de ses règles de vie ? Qu'arriverait-il à son âme ? Finirait-il par devenir comme Wraythe ?

Alberich se retourna et lança un regard glacial à Roman comme s'il avait pu sentir qu'il se faisait examiner sous toutes ses coutures. Ses yeux verts transpercèrent Roman alors que tous les autres rois avaient quitté la pièce, sauf un. Il en restait trois autour de la table : Roman, Jason Alberich et le roi des fantômes, Thane.

Alberich brisa le silence.

— Malcolm Cole envoie ses félicitations à la reine pour la présence de son livre sur la liste des best-sellers du *New York Times*, rapporta le roi des sorciers.

Sa voix posée reflétait le pouvoir qu'il avait amassé. Elle s'était renforcée au même titre que ses connaissances magiques.

Roman souleva son menton.

— Je vais m'assurer de lui transmettre le message.

Roman était le roi des vampires et Evie, sa femme, était la reine. Evie s'était récemment retrouvée sur la liste des best-sellers du *New York Times* avec un roman publié à compte d'auteur, ce qui n'était pas un exploit dont plusieurs auteurs pouvaient se vanter. Malcolm Cole, auteur et tueur innocenté, était un des loups-garous vivants les plus célèbres. Il avait sans aucun doute été bien informé du succès d'Evie.

En raison de son amitié avec Lalura, la vieille sorcière qui agissait en tant que réceptacle pour tout ce qui concernait le monde surnaturel, Roman savait de très bonne source qu'Alberich avait passé beaucoup de temps en compagnie des loups-garous ces derniers temps. Et avec raison. La jeune et puissante Dannai Caige, aussi connue sous le nom de la Guérisseuse, était une louve-garou. Elle était également très importante pour Alberich et elle était enceinte de huit mois. Son mari, Lucas, ainsi que Jason Alberich avaient été à son chevet à tour de rôle sans jamais la laisser seule depuis qu'elle avait tenté de guérir une femme blessée dans un centre d'achats au mois de décembre avant de tomber malade.

C'était un arrangement précaire et même un peu pénible, puisque Lucas Caige et Jason Alberich avaient autrefois été des ennemis mortels. En fait, c'était Caige qui avait logé des balles en argent dans le cœur d'Alberich et qui l'avait projeté dans une spirale de mort, de résurrection et d'emprisonnement dans la demeure de l'ancien roi des sorciers.

C'était ironique.

Caige et Alberich se toléraient toutefois l'un et l'autre grâce à la force de leurs volontés, à l'acceptation contre leur gré du fait qu'ils avaient besoin de leur aide respective et à leur amour partagé pour Dannai. En tout état de cause, Jason était devenu le « parrain » des jumeaux à naître de Dannai. Pour les sorcières des diverses assemblées de par le monde, un homme dans sa position était connu comme étant le *Patronum*, ou *Patra*, des enfants.

Roman en déduisit qu'il n'y avait sans doute rien de plus important pour Jason Alberich dans le monde connu que le bien-être de ces deux âmes. Et Alberich avait été dans l'obligation de les surveiller avec vigilance en dépit des soulèvements parmi ses sorciers, l'ajustement majeur que constituait le fait de devenir leur roi et… quelque chose d'autre.

Il y avait des préoccupations dans l'air entourant Alberich. Roman traitait avec les gens depuis vraiment très longtemps, et grâce à sa sagesse acquise, il put déterminer que ce qui préoccupait le roi des sorciers n'était pas lié à ses inquiétudes concernant la santé de la Guérisseuse et de ses enfants à naître. Ce n'était pas davantage associé aux divers attentats sur sa personne. Il possédait plus de pouvoir que nécessaire pour traiter avec ces problèmes de toute façon.

— Comment va la Guérisseuse ? demanda Roman.

— Elle va bien, répondit Alberich.

À leur gauche et de l'autre côté de la table, Thanatos, le roi des fantômes, attendait patiemment et silencieusement, ses yeux vif-argent étudiant Alberich aussi soigneusement que Roman pouvait le faire. Ce dernier avait cependant poussé la chose encore plus loin. Thane n'était pas dans la tête de Jason ; Roman y était, lui.

Et il entrevit l'image d'une femme aux longs cheveux blond pâle et aux yeux d'un bleu océan. L'image était incroyablement facile à trouver ; ces pensées se trouvaient à la surface de l'esprit du roi des sorciers et il était clair qu'elles y étaient depuis un certain temps. La femme était une Akyri et elle s'enfuyait en courant.

Quelque chose à propos d'elle sembla familier à Roman… elle lui faisait penser à sa propre femme, Evie.

Mon Dieu, pensa-t-il soudainement. La femme blonde était une *reine*. Elle était une des 13 reines que Lalura avait espionnées dans une vision. Et elle était la reine d'*Alberich*.

Cette nouvelle était plus que stupéfiante pour Roman. Elle était prophétique. Elle signifiait que Lalura avait absolument et explicitement raison. Il y *avait* vraiment 13 reines quelque part, une pour chacun des rois du monde surnaturel. Et pour une raison ou une autre, c'était *maintenant* qu'elles apparaissaient dans le monde.

Il n'était donc pas étonnant qu'Alberich soit préoccupé. Si ce qu'il ressentait envers cette blonde inconnue était le moindrement semblable à ce que Roman avait pu ressentir envers Evie, chaque terminaison nerveuse du corps du sorcier lui hurlait sans doute de se lancer à ses trousses, peu importe où elle avait bien pu partir. Son amour pour ses *chavas*, ou ses filleuls, à naître et sa dévotion envers Dannai, qui était probablement sa seule et meilleure amie dans le monde, faisait en sorte qu'il demeurait ici à ses côtés. D'agir ainsi devait le tuer.

— Elle doit accoucher d'un jour à l'autre, n'est-ce pas ? demanda Thane, poursuivant ainsi la conversation à propos de la grossesse de Dannai comme s'il sentait que Roman avait été temporairement distrait.

Alberich n'était toutefois pas un imbécile. Pas maintenant. Ses yeux verts se posèrent sur Thane pour acquiescer rapidement puis ils glissèrent de nouveau sur Roman, s'attardant sur lui avec un regard entendu. Le lien mental de Roman avec le roi des sorciers fut aussitôt brisé, comme si Roman avait été pris la main dans le pot de confiture et qu'on venait tout juste de la retirer de là en la giflant.

— Oui, dit Alberich, en permettant à son irritation de transparaître dans son ton de voix. D'une journée à l'autre.

Roman confronta son regard. Une seconde passa. Puis une autre. Et sur ce, Alberich se retourna lentement et s'éloigna de la table avant de quitter la pièce. Roman le regarda partir.

Une fois parti, Thane lui posa une question.

— Il vous a expulsé de son esprit, n'est-ce pas?

Un sourire entendu était affiché sur son beau visage.

Roman lui jeta un regard en guise d'avertissement qui était vraiment plus amusé qu'autre chose.

— En effet, admit-il. Il est devenu beaucoup, beaucoup plus fort.

Roman aurait bel et bien pu déjouer les barrières mentales d'Alberich et retourner fouiller directement dans son esprit pour en extraire n'importe quoi, mais il aurait fallu qu'il déploie beaucoup plus de force qu'il désirait en dépenser, et Roman n'était pas du genre à se frayer un chemin de force dans l'esprit des gens quand ils voulaient manifestement qu'il en sorte de toute façon.

En somme, il était dûment impressionné.

— Oui, en effet.

Thane se pencha vers l'avant dans le fauteuil qu'il n'avait pas encore quitté, et la chemise à col boutonné qu'il portait sous son veston s'étira contre sa large poitrine. Thane portait toujours un costume à ces réunions, et il s'agissait des costumes les mieux taillés que l'argent et la magie pouvaient acheter. Néanmoins, il ne semblait jamais à l'aise dans ces vêtements. Ce n'était pas attribuable au fait qu'ils ne lui allaient pas bien, au contraire. Thane aurait pu agir en qualité de mannequin pour n'importe quel couturier. Thanatos était toutefois un personnage plutôt solitaire, un marginal qui portait habituellement des jeans, un manteau de cuir et des tatouages qui se transformaient et prenaient différents aspects pour devenir aussi variés et révélateurs que ses humeurs.

Il demeurait toutefois un roi et ceci était un lieu de rencontre pour les rois. Thane était suffisamment intelligent pour se soumettre aux traditions quand les circonstances le demandaient.

Ainsi donc, le motard rebelle ressemblait actuellement à un dieu de la guerre aux cheveux noirs enfermé dans une cage trois-pièces. Ses cheveux avaient été convenablement peignés, la barbe d'un jour qui obscurcissant normalement son menton avait été proprement rasée et les reflets argentés de sa cravate onéreuse déclenchaient la foudre dans son regard aux yeux gris tempête. Il donnait l'impression d'être bien élevé, mais de détonner légèrement.

Et d'être à peine contenu.

Roman se joignit à lui à la table en s'assoyant de nouveau dans son fauteuil. Le roi des fantômes baissa son regard vers ses mains, qui étaient jointes sur le dessus de la table. Ses boutons de manchette miroitaient à la lumière des lampes fixées au plafond.

— C'est justement du pouvoir d'Alberich dont je veux vous parler, déclara-t-il. Pensez-vous qu'il pourrait accepter d'utiliser un peu de cette magie noire pour me rendre un service ?

Roman plissa son front. Le roi des fantômes avait besoin de la magie d'un sorcier ? Il avait officiellement capté son attention.

— Je suis intrigué, admit-il. Dites-m'en davantage.

Thane leva les yeux, croisa son regard pendant un moment puis respira à fond avant de pousser un lourd soupir tout en se s'adossant de nouveau dans son fauteuil.

— Il y a une semaine et demie, un esprit est passé dans mon monde comme à l'habitude, commença-t-il. Et moins d'une minute plus tard…

Il fit une pause et ouvrit ses bras bien grands avant de poursuivre.

— Il en est ressorti.

Roman toucha la surface en bois poli de la table avec les doigts de sa main droite avant de se pencher vers l'avant.

— Que voulez-vous dire par « il en est ressorti » ?

— Il a disparu, répondit simplement Thane. Il est entré dans une forme plus solide que n'importe quel Anime à qui j'ai eu affaire puis il a rouvert le portail de ce royaume et est repassé au travers.

Thane croisa ses gros bras musclés sur sa poitrine et secoua sa tête.

— Je n'ai aucune idée de comment cela a pu se produire ni de l'endroit où il est allé. Et ici ?

Son regard argenté sembla perplexe.

— Je n'ai aucun pouvoir me permettant de le retrouver ici. Je pourrai le ramener là où il doit être lorsque je l'aurai trouvé, mais en attendant…

Il se tut et secoua sa tête une fois de plus.

— Et vous pensez qu'un sorcier pourrait vous aider à le retrouver puisqu'il est mort.

— Les sorciers ont des affinités avec les morts, qu'ils l'admettent ou non, souligna Thanatos, bien que c'était là quelque chose que Roman savait déjà. Et qu'ils *aiment* ça ou non, ajouta-t-il en tournant légèrement son menton.

Ils demeurèrent silencieux pendant un moment tandis qu'ils pensaient sans doute tous deux à certains sorciers et à leurs luttes avec le côté sombre.

— Qui plus est, renchérit Thane en brisant finalement le silence, il y avait quelque chose autour de l'Anime quand il a disparu.

Il fit une pause, fronça les sourcils et ajouta :

— Je pense que c'était de la magie de sorcier.

— L'Anime était un sorcier ?

— Non, dit Thane en secouant sa tête. Je ne sentais pas cela à propos de lui et quelqu'un l'a tué en l'enflammant. N'importe quel sorcier digne de ce nom aurait pu se tirer de cette situation avec une seule parole.

— A-t-il été ressuscité?

Roman s'était toujours demandé ce qui arrivait à une âme qui avait été injustement tuée, et donc, qui était projetée dans le royaume de Thane, avant d'être ensuite ressuscitée par un sorcier. Il n'avait jamais posé la question.

— Les âmes ressuscitées n'entrent jamais dans mon royaume, expliqua Thane. Le destin sait qu'elles ne traîneront pas long-temps, alors elles ne se matérialisent pas de nouveau. Elles demeurent intangibles, invisibles et flottantes ici et nulle part avant de retourner dans leurs corps lorsque le sort est complété.

On apprend quelque chose de nouveau chaque jour, pensa Roman.

— Et cette magie sombre qui entourait l'Anime, continua Thane en parlant comme s'il était simplement en train de penser à haute voix maintenant, reconnaissant d'avoir de la compagnie pendant qu'il le faisait, elle était chaude… et différente.

— De la magie noire chaude?

La magie noire était froide et désagréable. Ce que Thane sug-gérait était un paradoxe surnaturel.

— C'était très beau, admit Thane avec une expression ahurie.

Ses yeux argentés semblèrent plus pâles; ils se détachaient du cadre bronzé de son visage, encore plus saisissant qu'à la normale.

— Je vois.

Roman attendit, les sourcils arqués, ne sachant pas vraiment quoi dire. C'était très, très intéressant. Il ne pouvait pas s'empê-cher de se demander s'il pourrait y avoir un rapport avec les reines. S'il avait trouvé la sienne quelques mois plus tôt et que celle d'Alberich attendait quelque part, il était donc possible que celle de Thane existait déjà ici et maintenant également. Il ne pouvait comprendre *comment* cette histoire à propos de cet Anime pourrait avoir un lien quelconque avec la future épouse de Thane, mais Roman avait l'impression qu'il allait *tout* relier avec les reines pendant un bout de temps.

Thane ne dit cependant rien de plus. Un moment passa puis il soupira simplement en repoussant sa chaise pour s'en aller.

— Je vais approcher Alberich avec cette demande, informa-t-il Roman en contournant la table.

Il s'arrêta dans l'embrasure de la porte et jeta un coup d'œil derrière lui.

— J'ai toutefois un sentiment étrange à propos de ceci. Si je ne me présente pas à la prochaine réunion, vous saurez pourquoi.

CHAPITRE 3

— Tu ne peux pas y aller toute seule, ordonna-t-il, sa voix caverneuse rebondissant d'une façon étrange et assourdie contre les comptoirs et les placards de la cuisine.

Siobhan serra ses bras autour d'elle. Le fait de se trouver en compagnie de Steven lui donnait froid ces derniers jours.

— Je dois le faire, Steven, et tu le sais. Tu dois rester dans la maison ; tu ne devrais même pas te trouver dans ce plan, et encore moins me suivre comme mon ombre.

Elle prononça ces paroles à voix basse, comme si elle était gênée de les dire à haute voix. Elle l'était peut-être, mais pas pour elle.

— Et si le démon attaque pendant que tu es sortie ? demanda Steven.

— S'il t'attaque toi, ou bien moi ? le relança-t-elle, sachant très bien qu'il parlait d'elle.

Il le savait très bien lui aussi ; il avait été détective dans la vie et était loin d'être stupide. Il se contenta donc de la regarder dans l'attente d'une réponse.

— Contrairement à certaines personnes, je peux m'occuper de moi, lui dit-elle.

C'était un coup bas de s'en prendre ainsi à lui en se basant sur le fait qu'il avait été tué et elle se sentit terriblement coupable dès que les paroles quittèrent sa bouche. D'après la description de Steven, il avait été confronté à un démon, un démon exceptionnellement puissant semblable aux Akyri, et il avait fait face à ce monstre à sa place. Pour la protéger.

Il n'avait bien sûr eu aucune chance de le vaincre. Il était mort en tentant de la garder en sécurité.

— Je suis désolée, s'excusa-t-elle presque aussitôt. Je ne pensais pas ce que j'ai dit.

— Oui, tu le pensais, souligna-t-il avec un demi-sourire.

Ses yeux vifs étaient maintenant remplis de nuages, mais un rayon de lumière brillait à travers eux, illuminant la connaissance fantomatique qu'il avait acquise. Il n'avait pas été dénué d'intelligence dans la vie, et ne l'était pas dans la mort.

— Tu ne m'as pas demandé de me battre pour toi, Siobhan, et tu ne m'as pas certainement pas demandé de mourir pour toi.

Il repoussa son corps de fantôme du comptoir sur lequel il était appuyé et il la frôla en sortant de la cuisine, faisant naître en elle un frisson qui traversait les os.

— Tu peux donc cesser tout de suite de te culpabiliser avec ça.

Siobhan serra encore davantage ses bras autour d'elle pour conjurer le froid contre nature puis elle ferma ses yeux. Il avait tapé en plein dans le mille. Ses aptitudes de détective étaient encore supérieures à la norme, même dans la mort.

— Et tu avais raison, continua-t-il, sa voix flottant vers elle depuis le fond du corridor. Tu peux t'occuper de toi… pour la plupart des choses.

Siobhan fronça les sourcils dans la tranquillité retrouvée de la cuisine et n'y répondit pas. Elle demeura là où elle était, son regard passant d'un grain de poussière à un autre tandis qu'ils tourbillonnaient encore et encore dans les rayons de soleil qui entraient par les fenêtres. Ses pensées se tournèrent vers l'intérieur.

Le fantôme de Steven avait adopté une forme de plus en plus solide ces derniers jours. C'était comme si son esprit devenait à l'aise avec son existence et qu'il s'y installait. Elle n'était pas certaine de savoir quoi en penser.

Ce qui avait tué Steven avait en fait été dans la maison pour la trouver, mais en dépit du fait que Steven était maintenant écarté, ce danger, ce démon, n'était pas encore revenu.

Cela faisait maintenant deux semaines. Qu'attendait-il?

Et que voulait-il?

Siobhan n'avait pas vraiment quitté la maison depuis qu'elle l'avait achetée. Salem n'était pas exactement un foyer d'excitation cosmopolite, mais c'était plus. Avant l'attaque, elle avait passé pas mal de temps dans des librairies et des parcs, et également à Boston pour observer les baleines et visiter les alentours. C'était bon pour la créativité.

Mais depuis que Steven était mort, elle s'était sentie en désaccord avec le monde. C'était comme si le démon avait fait d'elle sa victime et elle était maintenant aussi immatérielle que l'ancien détective. Elle voyait tout autour d'elle à travers une lentille sépia et avait l'impression d'avoir déjà un pied dans la tombe. Comme si sa place n'était pas vraiment ici.

Elle vivait alors en ermite. Elle commandait les choses dont elle avait besoin sur Internet et rencontrait le livreur de la compagnie UPS chaque jour à la porte. Elle faisait de l'exercice en courant de haut en bas dans ses 4 escaliers pendant 30 minutes et faisait ensuite des pompes en portant son iPod. Elle concentrait son attention sur les réparations nécessaires à la maison et restaurait les objets du passé. Elle tentait de passer à autre chose.

Elle commençait cependant à manquer de nourriture et il y avait une pellicule de malaise sur elle dans laquelle elle avait péniblement envie d'enfoncer ses ongles pour la gratter jusqu'à ce qu'elle disparaisse. Elle avait besoin de sortir, loin du bois âgé qui craquait sous ses pieds, loin du *fantôme*.

Le fantôme, qui était un rappel constant de la manière dont son existence surnaturelle avait infiltré et ultimement détruit celle d'une autre personne.

Steven avait raison. Elle était rongée par la culpabilité. Elle aurait dû être là le soir où l'Akyri avait attaqué. Elle pouvait seulement imaginer qu'il avait détecté sa magie et qu'il était peut-être affamé. Elle se demandait toutefois sans pouvoir le comprendre comment un Akyri affamé aurait pu faire appel à autant de magie noire. Quoi qu'il en soit, Steven avait été détruit parce qu'elle n'avait pas été là pour l'en empêcher.

Siobhan respira profondément et libéra ensuite cet air en poussant un souffle fatigué. Elle glissa une main dans ses mèches de cheveux rouges comme le sang, appuya la paume d'une main contre le comptoir et mordilla sa lèvre. Elle se redressa et quitta la cuisine une seconde plus tard.

Steven n'était pas dans le corridor. Il n'était également pas dans la salle de séjour. Siobhan retira sa veste et son sac à main du crochet d'un portemanteau antique qu'elle avait réparé des années plus tôt. Elle ramassa ses clés de voiture dans un bol de porcelaine sur la petite table à côté du portemanteau et se dirigea vers la porte. Elle s'attendit presque à ce que l'ancien détective se matérialise devant la porte en chêne massif pour l'arrêter, mais il ne le fit pas.

Peut-être que ce jeu le frustrait autant qu'elle, ou peut-être qu'il savait qu'elle avait raison et que c'était vraiment de sa faute, qu'elle pouvait probablement se protéger avec sa magie et que rien n'allait changer autant pour lui que pour elle jusqu'à ce qu'elle affronte le démon qui l'avait tué en premier lieu.

Quelle que soit la raison, Siobhan fut reconnaissante de l'absence de résistance lorsqu'elle quitta la maison et se glissa dans sa voiture. C'était calme et chaud à l'intérieur ; le soleil l'avait chauffée toute la journée à travers les vitres. Le cuir craqua sous elle lorsqu'elle se positionna derrière le volant et elle jeta son sac à main sur le siège du passager. Elle s'installa confortablement dans le siège-baquet, prit une nouvelle inspiration profonde et lança le moteur. Il s'anima dans un grognement, propulsant une vibration délicieuse dans son sang.

Siobhan aimait le son d'un moteur puissant. Elle y trouvait quelque chose de fondamentalement attirant. C'était ce qu'elle appellerait une logique d'homme des cavernes, quelque chose lié à un cerveau primitif. Le bruit était fort et incroyablement puissant, et la combinaison qui en résultait était séduisante, tout simplement.

Elle devait se rendre à l'épicerie et se constituer des réserves de plusieurs trucs essentiels avant qu'elle ne ferme ses portes pour la journée. Elle avait cependant plusieurs heures devant elle et la route 107 était à deux pas de là.

La Ford Mustang Fastback 1965 n'était peut-être pas techniquement la voiture la plus rapide à avoir été inventée, mais la plupart des modèles de cette année n'avaient pas ce que Siobhan avait, soit un moteur revigoré par une bonne dose de magie de femme-sorcier.

*   *   *

Thanatos jeta un coup d'œil par-dessus son épaule tout en s'approchant du bar disposé contre un mur, avant d'examiner les bouteilles alignées derrière la vitre. Le roi des sorciers se tenait bien droit et immobile de l'autre côté de la pièce, ses bras le long de son corps, ses yeux vert glacier fixant d'une manière intense l'imposante carte qui s'étalait sur le mur autrement vaste et vide devant lui. C'était le résultat d'un sort qu'Alberich avait jeté quelques minutes plus tôt, alors que le mur était encore blanc.

Thane n'avait pas vraiment pensé que le sorcier serait capable d'effectuer une recherche de cette ampleur. Le monde était très vaste et Thane recherchait un fantôme spécifique. Un esprit qui vivait une injustice n'avait aucune raison de retourner sur Terre. Les Animes étaient trop volatils, trop *différents*. Ils étaient remplis d'émotions négatives et pris au piège dans les moments douloureux de leur mort. Le purgatoire était un endroit beaucoup plus sûr pour de telles âmes. Là, ils étaient lentement libérés des chaînes de leurs souvenirs et on leur permettait de faire la paix avec leur destin. Ici, sur Terre, ils demeuraient pris au piège dans leur colère et leur haine et ne trouvaient jamais de consolation dans la mort.

Alors si certains esprits choisissaient de demeurer auprès des personnes aimées après la mort, c'était seulement possible dans le cas où la personne mourait de causes naturelles.

Il y avait cependant beaucoup de fantômes qui choisissaient de le faire, assez pour que Thane ne fonde pas beaucoup d'espoir dans le sort d'Alberich. C'était comme de trouver une bille translucide dans le fond d'une piscine.

Le roi des sorciers le surprenait cependant une fois de plus. Quelques secondes suivant la demande d'aide de Thane, les lèvres d'Alberich avaient esquissé un sourire et ses yeux avaient brillé d'une lueur révélatrice, à la suite de quoi il lui avait répondu en lui disant qu'il lui en devrait une.

Il s'était alors retourné et avait projeté ce qui avait ressemblé à de la magie sur le mur derrière lui. Ses lèvres avaient bougé et des mots avaient rempli la pièce en produisant un écho d'un autre monde. Le mur s'était alors illuminé comme il l'aurait fait sous un spectacle de rayons laser, révélant les continents de la Terre.

Thane demeura là à fixer le mur pendant un moment. Peu à peu, les continents de la carte se dissipèrent et ce qui demeura sur la carte s'agrandit à mesure qu'Alberich se servait de son pouvoir sombre. Peu de temps après, il ne restait plus que l'Amérique du Nord et du Sud ainsi que les océans les délimitant.

Lorsque l'Amérique du Sud se dissipa elle aussi, Thane détourna son attention du mur et se dirigea vers le bar. La partie suivante sembla prendre un certain temps. Il avait dû ralentir le temps dans le purgatoire à une allure d'escargot. Les esprits des gens morts avant leur temps se rassemblaient dans les limbes, attendant qu'il revienne et les accueille tous. Cela laissait des traces dans sa conscience. Il y avait tant de choses qui n'allaient pas dans le monde. Les derniers cris et sanglots des gens qui venaient d'être assassinés s'accumulaient dans son esprit comme des échos, usant l'intérieur de son cerveau en le frottant comme s'il s'agissait de lames de rasoir.

Il avait besoin d'un verre. Heureusement pour lui, à la différence des vampires, des loups-garous, des démons et de ses autres connaissances surnaturelles, l'alcool pouvait avoir un effet sur lui s'il le désirait. Il pouvait également chasser cet effet d'un simple coup de tête. C'était un des bons côtés de son emploi éternel, qui autrement faisait chier à fond.

— Servez-vous, Thanatos, dit Alberich en continuant à maintenir son attention sur le mur et sur son sort. Ce n'est pas verrouillé.

Sur ces mots, la porte du placard de verre s'ouvrit, révélant les bouteilles à l'intérieur. Thane ne gaspilla pas d'énergie à être impressionnée ou irrité. Il glissa plutôt une main à l'intérieur, s'empara d'une bouteille qui avait l'air bonne et en retira le bouchon. Les premières gorgées brûlèrent un peu et il se délecta de la sensation, fermant ses yeux pour s'y abandonner pleinement. La sensation rendit immédiatement plus acceptable sa situation difficile tout en lui retirant de la pression.

— C'est mieux ainsi? demanda Jason toujours sans quitter le mur des yeux.

Thane renversa la bouteille, avala quelques gorgées de plus puis referma le bouchon avant de rejoindre le roi des sorciers, la bouteille toujours fermement maintenue dans sa main.

— Je suis parvenu à rétrécir la zone de recherche, expliqua Jason.

Il esquissa un sourire de dents bien blanches et secoua sa tête.

— Vous n'allez pas croire où il se trouve.

Thane leva les yeux vers la carte et observa l'Amérique du Nord filer devant eux, s'agrandissant comme s'ils chevauchaient une étoile filante, jusqu'à ce qu'il ne reste plus qu'un seul État. Il occupait le mur tout entier, ses routes scintillantes comme des traînées de phares, sa métropole miroitant comme des diamants aux multiples couleurs.

— Le Massachusetts, laissa tomber Thane en fronçant les sourcils. Boston?

Jason secoua sa tête et son sourire s'agrandit.

— Salem.

CHAPITRE 4

Il avait chassé l'effet de l'alcool pour le remplacer par le grand plaisir qu'il ressentait toujours lorsqu'il couvrait une bonne distance sur une de ses motos. Il avait arrêté son choix sur une de ses motos sport préférées, une Ducati Diavel Carbon, et sa peinture brillante luisait en filant comme un éclair sous les lampadaires et les enseignes au néon des rues de la ville de Boston tandis qu'il la traversait au crépuscule.

Sa destination finale ce soir était Salem, une plus petite ville à environ 30 minutes de route, mais Thanatos n'était jamais allé à Boston. Il ne s'était pas permis de quitter son royaume pendant une si longue période depuis très longtemps. Les réunions des rois le faisaient sortir de son royaume, mais elles étaient toujours directes, précises et brèves, se terminant quelques minutes après avoir commencé. Chaque roi avait un travail à faire et peu de temps à perdre.

Le visage de la planète avait été bien différent à ses yeux la dernière fois où il y avait passé tant de temps. Il n'allait pas gaspiller l'excuse qu'il avait d'être ici; le moment était venu de pousser les gaz de la moto à fond et de voir ce qu'elle pourrait faire sur une véritable autoroute, au lieu de l'étendue infinie de poussière que le purgatoire avait actuellement à offrir.

Thane se pencha contre la moto d'une manière décidée et actionna la manette des gaz, s'engageant sur la rampe et se mêlant à la circulation. L'heure de pointe était terminée depuis deux heures, mais des retardataires suivaient la limite de vitesse, ralentissant la progression de tout le monde. Thane contourna ces véhicules avec l'aisance et la facilité d'un expert, effectuant des virages si serrés que les repose-pieds de sa moto frottaient contre la route, projetant des étincelles derrière lui.

Le ciel devint plus sombre, les lumières plus vives et les sorties plus rares tandis que Thane s'éloignait des limites de la ville de Boston et empruntait la route 107, aussi connue sous le nom de Salem Turnpike, passant la ville de Lynn en direction de Salem. Le vent gagna un peu en puissance, projetant des gouttes de pluie solitaires sur le macadam. Les roues de Thane naviguèrent sur ces dernières comme un hydroglisseur de vitesse et de bonheur, avalant les kilomètres avec une négligence absolue.

Il roulait loin devant les autres et adopta un rythme satisfaisant jusqu'à ce qu'une Ford Mustang noire se présente tel un éclair à côté de lui comme si elle sortait de nulle part, attirant immédiatement son attention sur sa droite. Les fenêtres étaient teintées ; il ne pouvait pas voir à travers elles et eut seulement une seconde pour tenter de le faire avant que la voiture accélère et le devance, laissant une bonne dizaine de longueurs de voiture entre eux.

Thanatos avait réparé et chevauché plusieurs engins au cours du dernier siècle. Tout comme ce qu'il attirait dans son monde avant de s'y attarder, c'était là un passe-temps auquel il s'était adonné justement pour passer le temps, qui était rapidement devenu la seule chose entre lui et la folie produite par la solitude.

Il savait donc une chose ou deux à propos des chevaux-vapeur, assez pour savoir avec certitude que bien que la Ford Mustang Fastback 1965 n'était pas une voiture lente en soi, il était totalement impossible qu'elle soit capable du type d'accélération dont elle faisait maintenant preuve. En fait, *aucune* voiture ne devrait pouvoir le faire.

Thane était intrigué. Il était également troublé, quoiqu'il n'identifia pas immédiatement ce sentiment. Il était surtout curieux. Son regard d'acier se plissa, ses mains gantées se serrèrent sur ses poignées et il actionna son accélérateur une fois de plus pour propulser sa moto vers l'avant, dans l'espace le séparant de la Mustang.

Il s'était attendu à la rattraper sur-le-champ. Cependant, la voiture accéléra de plus belle comme si le conducteur de la voiture avait détecté la poursuite. Elle se glissa d'une façon presque impossible entre deux voitures qui n'étaient séparées que par une longueur de voiture puis elle s'échappa dans l'obscurité.

Tu ne me feras pas ce coup-là, pensa-t-il en accélérant de manière automatique pour parvenir à la même vitesse. On aurait dit qu'il fonctionnait comme s'il était sur le pilote automatique, son corps penché contre la moto, sa poigne impitoyable sur l'accélérateur. Toutes les terminaisons nerveuses de son corps bourdonnaient avec le plaisir de la poursuite. Ils dépassaient les voitures qui n'étaient plus que des taches floues, leurs feux devenant un long flot d'énergie tandis qu'il se faufilait entre elles dans cette poursuite inexplicable de la voiture en avant de lui.

Les manœuvres réussies par le conducteur étaient inconcevables et la seule raison pour laquelle Thane était capable de suivre la voiture était parce qu'il était sur une moto.

À un certain moment, la Mustang se glissa dans un espace mesurant moins de deux mètres. Le véhicule freina avec force, se retourna pour lui faire face, accéléra d'une manière étonnante sans faire crisser les roues et se contracta littéralement pour se faufiler entre les extrémités d'un mur médian.

Thanatos brûla du caoutchouc tandis qu'il s'arrêtait en dérapant. Il posa sa botte sur le pavé et observa la Mustang reprendre sa pleine grandeur de l'autre côté de la route avant d'emprunter une sortie en direction opposée. Le plus impressionnant de tout était le fait qu'une voiture de police était garée derrière un panneau d'affichage sur le côté de la route où Thane se trouvait, positionnée de manière parfaite pour voir tout ce que la Mustang venait de faire. Et malgré tout, aucune sirène ne se fit entendre, ses lumières ne s'activèrent pas et le policier demeura sur place.

Espèce de fils de pute cinglé, pensa Thane en secouant sa tête tandis qu'il regardait la voiture noire luisante quitter son champ de vision à toute vitesse. Il lui faudrait faire encore trop d'acrobaties sur la route pour la poursuivre davantage, mais il avait au moins pu arriver à une conclusion concernant le conducteur, et une toute petite partie de sa curiosité fut apaisée. C'était manifestement de la magie à l'œuvre.

Le roi des fantômes connaissait bien la magie. Presque tout ce qu'il savait et tout ce qu'il faisait sur une base quotidienne étaient composés d'une certaine magie. L'ironie de la chose était que tant que Thane était sur la Terre et pas dans son propre plan, la magie n'avait pratiquement aucun effet sur lui. C'était comme s'il était un fantôme ici ; la magie le traversait sans faire d'effet.

Néanmoins, elle fonctionnait sur tout ce qui se trouvait *autour* de lui, y compris la voiture qui venait de s'échapper dans la nuit, et il ne pouvait rien faire pour l'arrêter.

Thane ne bougea pas et ne quitta pas la rampe ni la route des yeux jusqu'à ce que le dernier éclat de lumière de la voiture quitte son champ de vision. Il se redressa ensuite sur son siège, fit vrombir le moteur de la moto et quitta le centre de la route en se joignant de nouveau à la circulation. Il passa devant un panneau une seconde plus tard et se rendit compte qu'il était maintenant à Salem et que c'était sans doute le cas depuis un moment. La route 107 était devenue Highland Avenue puis Essex Street.

Il y eut un étrange bourdonnement dans ses os lorsqu'il emprunta la prochaine rampe de sortie de la route et se dirigea dans les rues un peu plus sombres et tranquilles qu'elles l'avaient été à Boston.

Il pouvait sentir les esprits des gens morts trop tôt qui attendaient son retour. Il pouvait les sentir là, tout juste hors de portée, dans cet espace sans épaisseur entre la vie et le néant. Il y avait des enfants dans ce lieu. Des enfants abattus dans une guerre dont les raisons initiales échappaient aux souvenirs des parents de leurs parents. Il commençait à manquer de temps ; il l'avait étiré au-delà de ses limites. Il devait retrouver ce fantôme et corriger la situation.

Thane serra ses dents et fonça dans la nuit.

* * *

Siobhan claqua la porte de sa voiture et regarda la route qui s'étirait devant sa maison. Sa tête tournait et son cœur battait la chamade. Elle pouvait presque encore entendre le moteur de la moto si elle retenait son souffle. Elle ne voyait toutefois pas de lumière, et une douce brise se frayait un chemin dans les herbes et les fleurs de la cour du voisin pendant que les insectes bourdonnaient sous le lampadaire de la rue. Elle était seule.

Elle glissa ses clés de voiture en vitesse dans sa poche et remonta l'allée jusqu'à la porte avant au pas de course. Une fois la porte verrouillée derrière elle, elle s'y appuya et respira à fond.

Elle se retourna ensuite et jeta un coup d'œil par le judas à la voiture d'un noir de jais qui attendait dans l'allée, le moteur encore chaud. Une maison aussi vieille ne possédait pas un garage suffisamment grand pour accueillir une véritable voiture ; elle avait été construite avec des calèches et des chevaux en tête. Elle n'avait également pas encore eu la chance d'en « construire » un sur le côté de la maison, alors la voiture demeurait là, dehors.

Tel un grand panneau noir sur lequel était écrit : « Je suis ici. »

Elle n'avait aucune idée de l'identité du motard qui l'avait suivie et ignorait également pourquoi elle avait si peur de lui, mais quelque chose s'était emparé d'elle. Quelque chose l'avait *motivée* à agir. Elle ne s'était jamais enfuie de personne auparavant. Peut-être était-ce lié au fait qu'il s'était lancé à sa poursuite en premier lieu.

Ou peut-être à cause de son corps : elle avait été en mesure de dire qu'il était grand. *Très* grand. Il avait les cheveux noirs ; il ne portait pas de casque, cet homme stupide. Et elle était presque certaine que ses yeux n'étaient pas gris, mais *argentés*. Ils avaient étincelé une fois sous un lampadaire, presque comme la foudre. Il avait une mâchoire carrée ; il avait un profil romain et masculin. Elle s'était seulement aperçue de toutes ces caractéristiques par l'entremise de regards rapides et furtifs. C'était tout le temps dont elle disposait tandis qu'elle filait sur la route à des vitesses fulgurantes, lançant des sorts en cours de route.

Il avait maintenu la cadence de belle façon. C'était étrange, effrayant, alarmant, intrigant et palpitant. Il s'était approché de plus en plus d'elle jusqu'à ce qu'elle finisse par se faufiler dans un petit trou du mur médian par magie avant de foncer vers la rampe de sortie pour quitter la route.

Elle avait été terrifiée. Excitée, mais réellement effrayée.

Comme c'était *étrange*.

Avec cette dernière pensée en tête, Siobhan agita sa main en direction de la voiture de l'autre côté de la porte et murmura en vitesse quelques mots qui masqueraient le véhicule. Il disparut. Elle souffla.

— Où est ton épicerie ?

Siobhan poussa un cri aigu et sursauta, se retournant subitement pour faire face à Steven. Il se trouvait dans le corridor, appuyé contre le mur, ses bras croisés négligemment contre sa poitrine, ses yeux d'un gris fantôme encore plus solides qu'ils l'avaient été avant qu'elle ne parte plus tôt en après-midi. Siobhan cligna des yeux. Est-ce qu'il y avait un soupçon de bleu dans ses yeux ? C'était comme s'il se reformait… qu'il redevenait entier.

— Le magasin était fermé, répondit-elle, ne réfléchissant pas avant de lui mentir.

Cela sembla mal sur-le-champ.

Steven arqua un sourcil.

— Pendant les 3 heures où tu t'es absentée, tu aurais eu le temps de te rendre au Walmart le plus près à Boston, qui est ouvert 24 heures sur 24, 7 jours sur 7.

Il se redressa, se détacha du mur et laissa tomber ses bras sur les côtés de son corps. Sa posture rappela à Siobhan pourquoi elle avait commencé à le fréquenter à l'époque. Il était impressionnant. Il était intelligent, de grande taille et beau. Il avait grandi en orphelin, mais il avait affronté la société et en avait tiré le maximum, comme seulement les meilleurs pouvaient le faire. On ne pouvait pas le berner facilement. Il avait même été gardien de but dans son équipe de hockey universitaire.

Et maintenant, il était mort. À cause d'elle.

Steven s'avança vers elle et la frôla, ce qui lui fit de nouveau ressentir un frisson étrange tandis qu'il se penchait pour jeter un coup d'œil par le judas de la porte.

— Veux-tu me dire de qui tu te caches ? demanda-t-il lorsqu'il eut terminé de regarder et qu'il se retourna pour lui faire face.

Siobhan remarqua qu'elle serrait ses bras autour de son corps ; un geste inconscient relié au froid de son état d'ectoplasme.

— Personne.

C'est nul, pensa-t-elle. *Vraiment, vraiment nul.* Ça ne lui ressemblait pas de mentir ainsi et voilà qu'elle le faisait avec la régularité de la fumée qui sort d'une locomotive à vapeur.

Steven sourit, mais ce n'était pas un sourire gentil.

— Voyons voir, dit-il, comme s'il était sur le point de cocher une liste de preuves qu'il avait en tête. Tu es partie pendant trois heures sans explication, ton rythme cardiaque est élevé, je peux voir ton pouls dans ton cou, et tu viens tout juste de dissimuler ta voiture aux regards de tous.

Il inclina sa tête sur un côté et plissa son regard.

Certainement un policier, pensa-t-elle distraitement.

— Es-tu certaine que tu veux demeurer fidèle à cette histoire ?

Siobhan leva les yeux vers lui. Elle pensa à l'homme sur la moto, aux yeux argentés qui luisaient, aux cheveux de la couleur de la nuit, et avala sa salive malgré la boule qui s'était formée dans sa gorge. Elle ouvrit sa bouche pour répondre, pas du tout certaine de ce qui allait en sortir, quand un son se fit entendre dans l'obscurité, distinctif et discordant dans la nuit autrement calme de Salem.

Les yeux de couleur pierre dorée irisée de Siobhan s'agrandirent. C'était la moto. Elle ignorait comment elle était en mesure de distinguer ce son de celui de n'importe quelle moto, mais elle le pouvait.

Le menton de Steven se souleva, ses yeux brillèrent et il disparut. *Pouf.*

— Steven ?

Siobhan s'avança, sa peau se couvrant de chair de poule de la fraîcheur résiduelle qu'il avait laissée dans son sillage. Il était parti.

Dehors, une moto sport tourna au coin de son pâté de maisons et se dirigea vers elle. Siobhan se raidit. Sa maison était dans un cul-de-sac. Il n'y avait aucune raison expliquant pourquoi la moto viendrait dans sa direction. *Peut-être a-t-il seulement besoin de changer de direction.*

Son cœur martelait dans sa poitrine et son estomac semblait étrange. Lentement, comme si quelqu'un pouvait la voir, elle s'avança vers la porte une seconde fois et regarda par le judas. Un phare unique devint plus brillant au milieu de la rue. La moto s'approchait.

Siobhan retint son souffle. Plus près… encore plus près.

Siobhan s'éloigna de la porte comme s'il pouvait la voir par le minuscule hublot de verre avant de fermer ses yeux avec force.

Elle tendit l'oreille alors que la moto se retournait dans le cul-de-sac et elle se demanda pendant une moitié de seconde s'il allait entrer directement dans son allée et se heurter contre sa voiture cachée. Il ne le fit cependant pas. Quelques longues secondes s'écoulèrent et un moment plus tard, elle put entendre la moto qui se dirigeait de nouveau sur la route dans la direction opposée.

Il *avait* eu besoin de changer de direction. C'était tout.

C'était tout.

Le sommeil tarda cependant cette nuit-là. Elle vit les yeux d'acier de son poursuivant dans l'obscurité et entendit le moteur de sa moto dans le calme. Et peu importe ce qu'elle se disait en se tournant et se retournant dans son lit, son cœur ne cessait de battre la chamade.

CHAPITRE 5

C'était assurément la voiture. Le fait que son propriétaire ait pensé à tenter de la dissimuler avec un sort de protection était seulement une preuve supplémentaire que c'était bien celui qu'il cherchait.

Ce n'est pas ce que tu cherches, Thane, se corrigea-t-il. Il cherchait un fantôme, pas un conducteur de Mustang brûleur de caoutchouc et utilisateur de magie. *Ressaisis-toi.*

Mais il ne le pouvait pas. Peu importe ce qu'il faisait, il ne parvenait pas à libérer son esprit de cette voiture et de son mystérieux conducteur. Le fait que le fantôme ne soit pas encore retrouvé n'aidait pas les choses. Il conduisit sa moto dans les rues de Salem toute la nuit, ouvrant ses antennes pour localiser le moindre signe de ce fichu Anime, seulement pour se retrouver les mains vides et épuisé lorsque le soleil commença à se lever à l'horizon.

Il n'était jamais demeuré aussi longtemps hors de son propre royaume auparavant et lorsqu'il déplaça sa moto dans un espace libre du terrain de stationnement d'un motel avant de couper le contact, il se rendit compte qu'il ne pouvait plus vraiment remettre son retour à plus tard. Les corps s'étaient accumulés, les nouveaux morts avant leur heure attendaient au sein de véritables foules de retrouver un certain sens de paix et d'appartenance et il avait un travail à faire. Il lui faudrait mettre en attente sa tentative de retrouver l'évadé.

Thane se pencha vers l'arrière sur son siège de moto et retira ses gants. Son expression faciale était sinistre tandis qu'il pensait à la voiture noire et à cet utilisateur de la magie qui vivait dans cette maison au fond d'un cul-de-sac. La vibration dans l'air entourant cette maison avait été plutôt intense.

Et maintenant qu'il s'accordait la paix et le temps d'y penser, il se rendit compte que cela avait également été familier. Il fronça les sourcils et s'immobilisa. *Ça ressemblait à des étoiles scintillantes*, pensa-t-il. *Comme l'espace. Comme de la magie sombre… qui n'était pas si sombre.*

— Merde alors, murmura-t-il à voix basse.

Cette prise de conscience le laissa à bout de souffle. La sensation qu'il avait ressentie en se retournant dans ce cul-de-sac et en levant les yeux vers la maison de trois étages avait été la même qui l'avait accostée quand l'Anime qui s'était échappé avait tendu la main vers lui dans le garage. La même fichue chose. La même magie.

— Nom de Dieu.

Avec cette dure pensée en tête et une expression sévère, il jeta un coup d'œil autour de lui pour s'assurer que personne ne le regardait dans la lueur matinale du crépuscule. Lorsqu'il fut certain qu'il n'y avait personne, il agita une main et ouvrit un portail vers le purgatoire, puis il fit démarrer sa moto et emprunta le portail en question.

Il rattraperait le temps perdu avec les morts et étirerait le temps autant que possible de son côté, puis il reviendrait ici et se rendrait directement à la porte de cette maison. Il ne serait pas trop tard s'il se hâtait un peu. Ce n'était pas une bonne idée de laisser un Anime contrarié se débrouiller tout seul trop longtemps.

Seuls les esprits savaient ce qui pouvait arriver.

* * *

Dannai Caige savait très bien que seulement 15 % des grossesses s'achevaient avec la perte des eaux de la mère, mais elle était spéciale ; elle portait des enfants très spéciaux et elle ne s'attendait bien sûr à rien de moins que ce qui lui arrivait en réalité.

La rupture de la poche des eaux se produisit tout juste après 1 h, trempant les draps du lit sous son corps et la propulsant, haletante, dans un état de pleine conscience.

— Lucas !

Le loup-garou à côté d'elle était éveillé et hors du lit avant même qu'elle lui dise ce qui s'était passé. Il le savait sans doute déjà. Il savait toujours tout. Il n'avait même pas pris le temps d'enfiler un t-shirt qu'il se déplaçait déjà autour du lit à une vitesse incroyable, ramassant des vestes, des couvertures et des téléphones portables avant de se retrouver à côté d'elle avec un beau désir ardent et une belle détermination dans ses yeux sombres. Les muscles de son grand corps puissant ondulèrent sous la faible lumière qui traversait les fenêtres couvertes par des rideaux. Danny éprouva une émotion égoïste et nécessaire. Elle n'en pouvait plus d'attendre de retrouver assez de vigueur et de force pour qu'il puisse la tenir contre le mur et la prendre comme il l'avait fait avant de la mettre enceinte.

— Je m'occupe de toi, bébé, dit-il en l'aidant à sortir du lit avant de l'envelopper affectueusement avec son pull-over et sa veste.

Il ne faisait pas exactement froid à l'extérieur, mais au mois de mai à Trinidad, en Californie, il ne faisait pas exactement chaud non plus et Lucas n'était pas du genre à courir des risques quand il était question de sa femme.

Oh mon Dieu, pensa-t-elle alors que ses bras enflés peinaient à se glisser dans les manches de la veste. Elle était énorme. Chaque mouvement qu'elle faisait était quelque peu douloureux et la balance avait été son pire ennemi pendant des semaines, mais elle avait été méfiante par rapport à l'utilisation de la magie pour soulager la douleur et les malaises. Lalura avait été à ses côtés pour la majeure partie de sa grossesse et elle n'avait jamais cessé de l'aider avec son thé et ses infusions, mais au bout du compte, le fait de devenir une mère était un processus compliqué et douloureux, peu importait de quelle façon les dés étaient lancés.

Pour rendre les choses pires encore, il y avait une différence énorme et diabolique entre le fait de porter un enfant et celui d'en porter deux. Les jumeaux l'avaient transformée en baleine échouée au bout de trois petits mois. Elle n'était donc pas du tout étonnée de commencer le travail un mois avant terme. Sa peau allait fendre si ces bébés ne sortaient pas bientôt de son corps.

— J'ai hâte que ce soit terminé, déclara-t-elle en grimaçant alors qu'une contraction se manifestait sans s'être annoncée, l'obligeant à s'immobiliser dans ses pas ruisselants et entraînant un sérieux grincement de dents. Fils de pute, gronda-t-elle.

La contraction déferla en elle comme un tsunami, noyant toutes ses pensées conscientes dans cette impulsion de douleur. Lucas lui tint la main tandis qu'elle fermait ses yeux en subissant les effets de la contraction et elle utilisa sa main comme un jouet sonore à presser. Elle était une louve-garou, alors ses os craquèrent en conséquence sous la pression. Il était toutefois un loup-garou lui aussi, alors il ne dit rien et ne fit rien, la laissant tout simplement lui tenir la main tandis qu'elle attendait que la contraction passe.

Une fois qu'elle fut passée, elle ouvrit ses yeux et essaya de respirer normalement.

— D'accord, les enfants. Votre heure est venue, dit-elle en lâchant la main de son mari et en appuyant doucement la paume de sa propre main sur son ventre gonflé.

Lucas la fit progresser rapidement dans la maison jusqu'à la porte qui menait au garage.

Ils avaient réfléchi sérieusement aux prénoms qu'ils allaient donner à leurs enfants. Ils avaient décidé de nommer le garçon Kavanagh, en l'honneur du défunt Surveillant du conseil des loups-garous qui avait aussi été le grand-père et le dernier membre de la famille de la très bonne amie de Danny, Claire St-James. Danny ne doutait pas une seconde que le prénom serait raccourci à Kevin par à peu près toutes les personnes qui seraient proches de son fils, mais elle s'en moquait. Le prénom Kevin signifiait « d'une grande beauté » et elle était certaine qu'il serait beau.

La fille porterait pour sa part le prénom de Jazarah. C'était un prénom éthiopien qui signifiait « princesse adorée », et elle l'avait entendu dans un rêve plusieurs mois auparavant. Il convenait. Elle l'aimait. Et s'il était raccourci à Jessie par les personnes proches de sa fille, alors qu'il en soit ainsi. Après tout, ce surnom honorerait alors Jesse, le Surveillant *actuel* du conseil des loups-garous et un autre ami proche de la famille.

Quelques secondes plus tard, Lucas se retrouva bien assis avec sa femme dans la voiture qu'il avait achetée immédiatement après avoir su que Danny était enceinte. C'était un de ces véhicules économiques qui avait une faible consommation d'essence et qui émasculait presque tous les hommes qui s'assoyaient derrière son volant. C'était toutefois un véhicule familial et Lucas ferait absolument tout pour combler les besoins de sa famille. De plus, il était un loup-garou alpha et certainement *pas* comme presque tous les hommes. Rien au monde ne pourrait parvenir à l'émasculer.

Danny tenta d'ajuster le siège avant tandis qu'elle attendait l'ouverture de la porte de garage. Elle essaya de se détendre, mais elle pouvait sentir qu'une nouvelle contraction était en approche, comme si c'était la foudre qui était sur le point de frapper son système nerveux, et cela acheva ce qui lui restait de patience. Elle fit un mouvement rapide du poignet et avec une étincelle de magie au bout de ses doigts, la porte de garage s'activa dans ses chambranles, secouant la fondation de la maison tout entière.

Un homme se trouvait dans l'allée. Une grande silhouette solitaire drapée dans les vêtements de cérémonie de la nuit.

Jason Alberich.

— Jason, souffla-t-elle, déchirée comme elle l'était toujours quand elle posait ses yeux sur cet homme.

Il était son plus vieil ami et, dans un sens, son ami le plus proche. C'était aussi un ancien poursuivant, un homme qui l'avait traquée, enlevée et terrifiée. C'était aussi l'homme qui avait sauvé la vie de sa belle-sœur, la Briseuse de malédiction. Sans lui, ses pouvoirs et sa façon désintéressée de les utiliser, elle aurait perdu son beau-frère et elle aurait du même coup et inévitablement perdu son mari. Ils avaient beaucoup de raison d'être reconnaissants envers Jason.

Ce n'était toutefois pas pourquoi elle l'aimait. Il y avait différentes nuances de gris associées à Jason Alberich. Il y avait tant de couches qu'il existait pratiquement au sein de quatre dimensions. Il était compliqué, et il y avait un pouvoir rattaché à lui qu'elle pouvait sentir augmenter. Il était destiné à quelque chose de grand. Elle pouvait le sentir dans ses os.

Jason était aussi son protecteur, son gardien. Il avait été nommé *Patra* de ses enfants à naître parce qu'elle avait en lui une confiance qu'elle n'avait presque en personne d'autre. Malgré le chaos de leur histoire, Dannai pouvait honnêtement dire que Jason ne l'avait jamais blessée. Et il était toujours là pour elle. *Toujours.*

Comme il l'était maintenant.

— Ce fils de pute sait toujours tout en ce qui te concerne, n'est-ce pas? s'étonna Lucas à voix basse.

Il passa la première vitesse et attendit que le roi des sorciers s'approche de la fenêtre de Danny. Elle était sur le point de l'abaisser avec de la magie, ne voulant même pas bouger alors que la deuxième contraction s'en prenait à elle, mais Jason la devança, utilisant sa propre magie pour l'abaisser avant de tendre la main à l'intérieur pour ensuite la poser sur son ventre.

Elle fut aussitôt à la fois alarmée et soulagée. Il était toujours préférable de limiter au minimum l'utilisation de sorts inutiles en portant un bébé. Elle savait toutefois dans son cœur qu'aucune magie qu'elle aurait pu utiliser pour soulager sa *douleur* ne causerait de mal à ses enfants. C'était seulement qu'en matière de soulagement de la douleur, elle avait peur… non pas d'un danger quelconque, mais plutôt de ce que les gens pourraient penser d'elle. Les femmes avaient vécu des grossesses sans l'aide de la magie pendant des milliers d'années. Quel genre de femme serait-elle si elle ne pouvait pas faire de même? Ses doutes et un sens de responsabilité sociale l'avaient empêchée de faire ce qui avait besoin d'être fait.

Fort heureusement, Jason Alberich n'avait pas de réserve de ce genre.

Ainsi, lorsqu'il posa sa main sur son ventre et que des vagues de plaisir déferlèrent en elle, anéantissant la douleur, elle ne résista pas. Elle s'adossa plutôt dans son siège et ferma ses yeux. Un sorcier pouvait faire ressentir tout ce qu'il voulait à sa victime simplement en la touchant. Peu importe ce que quiconque disait à propos des sorciers, elle serait toujours une admiratrice de cette capacité particulière.

— Là, maintenant, dit-il de sa voix profonde se rapprochant d'un grondement calmant. C'est mieux.

Danny pouvait le sentir bouger à côté d'elle, mais elle n'ouvrit pas ses yeux.

— Je serai derrière vous, indiqua-t-il à son mari.

Lucas ne répondit pas, mais elle supposa qu'il avait hoché la tête, parce que la main de Jason se retira doucement de son ventre avant qu'elle ne le sente s'éloigner.

— Allez, je t'emmène à l'hôpital, annonça Lucas, sa propre voix grave tendue avec ce qui devait être de la nervosité liée à de l'anticipation tandis qu'il appuyait sur l'accélérateur de la voiture, quittant ainsi le garage.

Ils ne pouvaient pas se téléporter dans l'hôpital de peur que les infirmières, les docteurs ou d'autres patients ne les voient, sans compter le fait que Danny ne voulait pas trop risquer de faire usage de magie à l'heure actuelle. De s'y rendre en voiture était leur seule option.

Elle laissa ses yeux fermés et pria pour que le soulagement de la douleur que Jason lui avait accordé tienne un peu plus longtemps. Le service de soins d'urgence de l'hôpital St-Joseph était à 30 km de distance. S'il n'y avait pas de complications liées à la circulation, ils devraient y parvenir en moins de 20 minutes.

Le son soudain des sirènes obligea les yeux de Danny à s'ouvrir. Elle se pencha et jeta un coup d'œil dans le rétroviseur à sa droite.

— Nous avons une escorte, expliqua Lucas en accélérant tandis qu'une voiture de police les dépassait en vitesse pour prendre place devant eux en ouvrant la route.

Danny fronça les sourcils.

— Est-ce que c'est…

— Kane, indiqua Lucas. Lily a eu une vision dans laquelle l'accouchement était pour aujourd'hui, mais elle n'a pas voulu te dire quoi que ce soit, à tout hasard, poursuivit-il. Lily et Daniel sont passés hier.

Danny esquissa un petit sourire reconnaissant. Lily Kane était une voyante, une louve-garou et une bonne amie de Dannai. Daniel Kane, le magnifique mari loup-garou alpha de Lily, était le chef de police de Baton Rouge et avait probablement très peu ou aucune juridiction ici, en Californie. Leur minuscule convoi était toutefois composé de loups-garous et de sorciers, et la juridiction était probablement le moindre de leurs soucis. Ils pourraient gérer n'importe quelle situation se présentant à eux. La chose qui comptait était de ne pas se faire arrêter par la circulation et permettre à Danny d'atteindre la salle d'accouchement le plus tôt qu'il était surnaturellement possible de le faire.

La conduite experte de Daniel Kane et les sirènes de police permirent de relever ce défi en un temps record.

CHAPITRE 6

Le hall de l'hôpital était agité d'un bourdonnement tout de même assez calme d'occupation médicale. Ramsès, qui avait autrefois été connu sous le nom d'Amon, s'y déplaçait avec une lenteur délibérée, ses longues enjambées ayant adopté une allure stable, ses yeux profonds et sombres absorbant chaque caractéristique du bâtiment qui logeait et veillait sur les malades, les mourants et les convalescents.

Il n'avait pas marché dans les vestibules des demeures de la Terre depuis très longtemps. En son absence, la planète avait vu pousser des bras de métal qui s'étiraient jusque dans le ciel comme s'ils tentaient de toutes leurs forces d'arracher le Soleil et la Lune de leurs trônes. Elle avait aussi développé des plaies suintantes qui recrachaient à contrecœur du métal et de la pierre pour les humains qui couraient à un rythme effréné sur toute sa surface. Ses forêts étaient pratiquement anéanties, ses océans étaient devenus des égouts et le soleil se frayait un chemin à travers des trous dans le ciel, brûlant la peau non protégée jusqu'à ce qu'elle soit calcinée.

Beaucoup de choses avaient changé.

Les gens essayaient encore de se soucier les uns des autres, plaçant leur propre bien-être à court terme devant celui des autres ou tout le reste. Cet hôpital et ses corridors infinis, ses interphones bourdonnants et l'odeur amère des antiseptiques en étaient une preuve évidente. La bataille pour le bien-être n'était cependant plus une mesure d'autodéfense, qui avait toujours été naturelle pour Ramsès, et en soi admirable. Il s'agissait maintenant d'une guerre que l'humanité livrait à tout ce qui l'entourait. Et l'humanité gagnait.

Tout était différent. Ramsès n'était plus tout à fait certain de ce qui était juste et de ce qui ne l'était pas. Plusieurs milliers d'années auparavant, le monde surnaturel dominait l'humanité, utilisant les humains pour se nourrir et s'en servant comme esclaves. Les humains fuyaient en criant les vampires, les loups-garous, les dragons et les autres du même genre. Ramsès, alors connu sous le nom d'Amon, le dieu des dieux, avait adopté une forme physique afin de pouvoir aider à protéger ceux qui l'adoraient. En tant que dieu, il était une idole imaginaire, sans substance ou fonction. Il était une énergie qui était alimentée et qui dès lors gagnait en importance, mais il ne pouvait rien leur rendre. Une fois sous sa forme solide, cette énergie amassée s'était rassemblée en un récipient de pouvoir qu'aucun humain n'avait jamais vu.

Amon était alors devenu Ramsès, utilisant son avatar physique pour protéger les humains qui l'avaient créé des créatures qui voudraient tuer ces humains ou les asservir. Son amour, sa femme, Amunet, avait adopté une forme humaine à ses côtés. Ensemble, ils avaient fait ce qu'ils pouvaient pour veiller au bien-être de leurs humains. Les meurtres surnaturels étaient maintenant pratiquement du jamais vu dans les annales publiques et acceptées de l'histoire humaine, et il y avait une raison. Lorsqu'il avait eu l'impression d'avoir fait tout ce qu'il pouvait faire, sa femme et lui avaient quitté le royaume des mortels. C'était il y avait 5000 ans.

Il avait dormi pendant plusieurs éternités, seulement pour se réveiller avec un sentiment douloureux de perte et de désespoir. Amunet était partie.

Il avait alors adopté une forme mortelle sur-le-champ pour la rechercher et comme il l'avait fait cinq millénaires plus tôt, il avait sans plus tarder recherché ces humains qui avaient la même opinion que lui du fléau des créatures mystiques de la planète. Il était parvenu à devenir leur chef en déployant un effort très minimal, maîtrisant un groupe grandissant d'hommes et de femmes connu partout dans les canaux surnaturels comme étant les Chasseurs.

À travers eux, il avait pourchassé les monstres qu'il avait chassés toutes ces années plus tôt. Et tandis qu'il le faisait, il recherchait sans cesse son Amunet.

Mais maintenant ?

Peu de temps auparavant, une vampire du nom d'Ophélia avait remis à Ramsès toutes les informations dont les Chasseurs auraient besoin pour supprimer en totalité au moins une des races surnaturelles de la planète. Le roi des vampires, Roman D'Angelo, était très vieux et gouvernait depuis 3000 ans. Ramsès ne l'avait jamais rencontré.

Ramsès s'était réellement attendu à ce que D'Angelo ressemble à ses ancêtres, qu'il soit cruel, égoïste et sanguinaire. Après avoir reçu des informations sur l'endroit où se trouvait le vampire et de plus amples informations à son sujet, Ramsès avait mené une enquête minutieuse et ce qu'il avait trouvé le laissait perplexe.

Plutôt que de continuer à préconiser la destruction insensée de ceux qui avaient régné avant lui, D'Angelo avait refermé une main de fer sur le royaume des vampires, étranglant la vaste majorité de sa cruauté en la soumettant et en introduisant de nouvelles lois. Les adversaires des lois avaient été détruits. Les partisans des lois étaient devenus les gardiens légaux.

Conséquemment, le peuple de D'Angelo avait cessé d'assassiner des innocents et la méthode permettant de transformer des mortels en vampires avait été dissimulée, mettant ainsi fin à l'augmentation maladive du nombre de membres de la nation des vampires.

Ramsès ne s'y était pas attendu. Ophélia avait sans aucun doute prévu que Ramsès se serve des informations qu'elle lui avait procurées pour mettre un terme à la vie du roi des vampires et à sa garde rapprochée, mais Ramsès hésitait. Il n'était pas totalement convaincu que de supprimer D'Angelo serait la meilleure chose pour l'humanité ; sans compter qu'il ne savait pas si c'était seulement *possible* d'y arriver. D'Angelo était demeuré roi pendant 3000 ans ; il fallait posséder une très grande force pour conserver un poste de dirigeant pendant si longtemps dans n'importe quel domaine, sans parler d'un groupe de créatures aussi puissantes que les vampires.

Les loups-garous n'étaient pas différents des autres. Il leur était arrivé quelque chose pendant l'absence d'Amon. De bêtes affamées, ils étaient passés à une société en difficulté aux liens familiaux serrés où régnait l'amour. Ils avaient subi une malédiction qui les avait fait passer bien près de l'extinction. Puis, ils avaient été libérés de cette malédiction, vraiment récemment, et ils s'étaient regroupés dans un élan de solidarité pour combattre l'adversité que ce changement soudain avait causée.

Les sorciers étaient maintenant gouvernés par un homme aussi énigmatique et capable de changer la donne que Roman D'Angelo l'était pour les vampires. Et la même histoire de métamorphose et d'innovation semblait se répéter à maintes reprises quand il était question des autres rois et de leurs royaumes surnaturels.

Ramsès était déconcerté par ce changement, qui avait fait passer les choses de l'aversion à l'altruisme. Le moins qu'on puisse dire était que c'était désorientant. Quelques semaines plus tôt, il avait donc stoppé toutes les activités des Chasseurs associés à des homicides et ils étaient maintenant agités. Il ne s'en souciait pas vraiment. Les doigts anxieux d'actionner des détentes d'armes à feu de quelques mortels étaient le moindre de ses soucis. Le monde tournait sous lui, s'inclinant jusqu'à un point où il le sentirait tomber.

Et il y avait quelque chose d'autre.

C'était la raison pour laquelle il était ici maintenant, à déambuler dans les corridors de cet hôpital sur la côte ouest de l'Amérique du Nord. Il n'était pas plus près d'avoir retrouvé Amunet qu'il l'avait été quand il avait d'abord adopté une forme mortelle, mais il *avait* trouvé *quelqu'un d'autre*. Quelqu'un qu'il ne pouvait pas comprendre, qui était un mystère pour lui et qui n'aurait pas dû exister : la fille d'Amunet.

Elle était ici, dans cet hôpital. Il l'avait observée au cours des derniers mois, mais ni elle ni ses multiples protecteurs ne savaient qu'il était là. Elle ressemblait à sa mère ; ses yeux étaient semblables aux siens. Dannai Caige avait des yeux comme des arcs-en-ciel atténués, vert, bleu, brun et doré. Son mari y faisait affectueusement référence en les qualifiant d'yeux kaléidoscopiques. Ses cheveux étaient semblables. Sa structure osseuse également. Et elle possédait aussi les capacités de guérisseuse de sa mère.

Il était difficile pour Ramsès de regarder cette femme alors que sa reine était quelque part dans cet étrange nouveau monde, le battement de son cœur si faible qu'il pouvait à peine le ressentir.

C'était difficile pour tant de raisons. Dannai Caige n'avait aucune idée de qui elle était. Elle n'avait aucun indice à propos du type de sang qui coulait dans ses veines.

Ramsès s'assurerait qu'elle le sache en temps et lieu. Pour le moment, il y avait des choses plus importantes dans son jeune esprit. Elle avait donné naissance aux petits-enfants d'Amunet sous le soleil et la lune du mois de mai.

Il devait les voir. Il devait *la* voir. Il devait savoir… qui était le père de Dannai. Il avait seulement besoin de la voir ou de la toucher pour avoir la réponse qu'il recherchait. Cette question sans réponse brûlait dans ses veines, une menace rythmique qui pulsait à chaque battement de son cœur antique. Quelqu'un avait touché sa partenaire, sa femme. Son Amunet.

Et Ramsès voulait savoir son nom.

La chambre de Dannai était devant lui, sur la gauche. Ramsès libéra de minces vrilles de sa magie tout en marchant, écartant ainsi n'importe quel curieux ou individu pouvant avoir des questions pour lui. Les infirmières et les préposés bougeaient autour de lui comme le courant d'eau d'un ruisseau autour d'un rocher, lui donnant de l'espace et le laissant tranquille.

La fille d'Amunet avait donné congé à la plupart de ses protecteurs potentiels pour la nuit. Exception faite de son mari, elle avait voulu être seule avec ses nouveau-nés. Que le roi des sorciers ait lui-même accepté de respecter ses souhaits prêtait foi à l'âme de déesse qu'elle portait. Elle était la fille de sa mère jusqu'au bout des ongles.

Il se sentait fier. Il était nerveux, perplexe et fâché ; elle n'était même pas son enfant. Mais en dépit de la raison, il se sentait tout de même fier.

La porte s'ouvrit en silence sur ses charnières bien huilées quand il tourna la poignée et il n'hésita que légèrement avant de s'avancer dans l'obscurité. Le mari loup-garou de Dannai était étendu dans le grand fauteuil à côté du lit, sa tête aux cheveux bruns rejetée par-dessus l'accoudoir. Dannai dormait sur le lit d'hôpital, sa masse de cheveux ébènes étalée sur l'oreiller et les draps, ses doigts endormis refermés autour du barreau du berceau à côté d'elle, malgré sa somnolence.

Le regard de Ramsès se posa sur le mari. Il savait qu'il aurait un combat de « nouveau père » entre les mains si Caige se réveillait, alors Ramsès utilisa une grande dose de sa magie ici et là pour disposer une voile d'inconscience plus profonde sur l'homme dangereux.

Il concentra ensuite son attention de nouveau sur la fille d'Amunet, et sur le berceau à côté d'elle. Le dieu des dieux s'approcha du lit avec des pieds qui semblaient remplis de plomb. Deux minuscules enfants parfaits se trouvaient à l'intérieur du berceau. L'un était enveloppé de rose et l'autre de bleu. De petits chapeaux tricotés recouvraient les têtes des bébés pour qu'ils soient au chaud. Des mèches de cheveux dépassaient de ces chapeaux. Les cheveux du garçon étaient épais et noirs. Ceux de la fille étaient plus pâles et plus fins.

Comme Amunet.

Ramsès pouvait entendre son sang mortel couler dans les veines de son avatar tandis qu'il tendait la main pour toucher la petite fille. Le geste sembla durer une éternité ; le temps s'étirait, rendant le reste du monde flou et sa vision prenant l'aspect d'un tunnel.

Avec la tendresse de quelqu'un qui était déjà conscient de la vérité profondément en lui, Ramsès posa le bout de ses doigts sur la joue de l'enfant. Elle ouvrit ses yeux. Un kaléidoscope de couleurs le salua, ce qui était tout à fait contraire à l'apparence normale des yeux d'un nouveau-né.

Il examina ces iris puis se concentra sur les pupilles et put rencontrer l'esprit du bébé à mi-chemin. Et il sut. Le nom de la fille était Jazarah : princesse. C'était approprié. Parce que même si cela était impossible, même s'il n'avait pas vu sa femme au cours des 5000 dernières années, Dannai était sa fille. Et ces jumeaux n'étaient pas seulement les petits-enfants d'Amunet.

Ils étaient aussi les siens.

* * *

Dannai se sentait comme si le monde entier s'était fixé à son corps et qu'il le tirait vers le bas. Et peut-être bien qu'il l'avait fait, techniquement. Après tout, c'était un résumé de la gravité. C'était seulement que les lois de la physique ne tenaient absolument plus ce matin et que la gravité avait davantage d'effet sur *elle* que sur tout autre être vivant sur la planète. Elle en était certaine.

Elle était épuisée. Elle n'avait jamais su qu'une personne pouvait *être* épuisée à ce point. Elle avait été confrontée à de véritables entités maléfiques dans sa vie, mais rien ne l'avait vidée davantage que les dernières 24 dernières heures avaient pu le faire.

Danny déploya un effort énorme et força ses paupières à s'ouvrir avant de tenter de se concentrer sur le berceau d'hôpital à côté de son lit. À l'intérieur, deux silhouettes minuscules dormaient côte à côte comme le symbole du yin et du yang. Les cheveux noirs de Kavanagh étaient déjà épais sur sa tête. Les cheveux de Jazarah étaient plus fins et avaient des reflets dorés. Danny n'avait aucune idée d'où ils avaient pu venir. Lucas et elle avaient des cheveux d'un noir de jais tout comme Byron, le frère de Lucas. Les parents de Danny devaient certainement avoir des traits qui ressortaient maintenant chez ses enfants.

Danny se releva très lentement en position assise dans le lit. Elle avait guéri immédiatement après avoir donné naissance et ils avaient bien sûr fait en sorte que leur docteur soit également un loup-garou, afin que le secret de ses capacités de guérison «miraculeuses» de louve ne soit jamais en danger. Elle était cependant endolorie et fatiguée à un niveau plus profond et ne voulait pas faire de mouvements soudains qui pourraient éveiller Lucas, qui dormait toujours profondément dans le grand fauteuil contre le mur.

Ses bébés étaient enveloppés dans des couvertures bleue et rose, plus pour aider les infirmières et le personnel à les différencier que quoi que ce soit d'autre. Danny n'avait bien sûr pas besoin des couvertures. Ils étaient déjà aussi différents que le jour et la nuit pour elle, et tout aussi précieux l'un que l'autre.

Elle les observa en silence, totalement immobile dans cet état de paix et d'étonnement qui accompagnait le fait de regarder les visages d'enfants nouveau-nés. Et tandis qu'elle les observait, ils ouvrirent leurs yeux. En même temps.

Les sourcils de Danny s'arquèrent. Elle sourit.

— Vous avez faim? chuchota-t-elle en plaçant son index dans la main minuscule de Kavanagh.

Il serra son doigt et ses lèvres s'entrouvrirent, ses petits pieds donnant un seul coup comme un bébé qui s'étire.

— Très bien, concéda Danny en soulevant affectueusement Kavanagh tout en se penchant pour déposer un tendre baiser sur le front de Jazarah. Un à la fois, alors.

Ses seins avaient grossi de plusieurs tailles de bonnet au cours des derniers jours, et que ce soit grâce aux divers thés de Lalura ou par ses propres moyens, elle produisait maintenant assez de lait pour ses deux enfants, et il en restait encore. Elle en fut très reconnaissante sur le moment tandis qu'elle s'adossait dans son lit surélevé en plaçant son fils dans le creux de ses bras.

Elle sentit ensuite quelque chose de dur sous la couverture par-dessus la poitrine de son bébé. Elle fronça les sourcils puis déplia un coin de la couverture pour découvrir son corps minuscule.

Un médaillon avait été disposé autour de son cou. La chaîne était remarquablement mince et faite en or. Le symbole sur le pendentif lui décocha un clin d'œil dans un mouvement complexe et secret. Dannai le regarda, choquée et étonnée. Il lui semblait être familier.

Sans y réfléchir, mais en mode pilote automatique, Danny tendit la main et retira également la couverture de la poitrine de sa fille. Jazarah s'agita légèrement alors que l'air frais de la chambre d'hôpital caressait sa peau exposée.

Un deuxième médaillon reposait sur sa poitrine minuscule, identique à celui que portait son frère.

CHAPITRE 7

Roman D'Angelo demeura posté dans l'embrasure du bureau de sa femme et l'observa en silence. Ses longs cheveux châtains aux reflets de soleil cascadaient sur son dos et ses épaules comme une chute d'eau soyeuse. Ses longs cils frôlaient ses joues quand elle clignait des yeux et sa peau parfaite semblait rougeoyer de l'intérieur. Sa poitrine se serra tandis qu'il la regardait ainsi et pour la dix millionième fois depuis qu'elle avait accepté de l'épouser, il remerciait l'étoile chanceuse qui avait daigné le bénir.

Elle ne savait pas qu'il était là. Ce n'était pas parce qu'il dissimulait sa présence, mais plutôt parce qu'elle était absorbée à l'heure actuelle, sa tête penchée, son magnifique regard plissé, ses longs doigts minces serrés fermement autour de ce qui semblait être un genre de bulletin d'information.

Une tasse de papier vide qui avait autrefois contenu du café se trouvait à côté de sa main sur le bureau. Le café était une des rares choses qu'Evie consommait encore depuis qu'elle était devenue une vampire. En fait, il n'était pas certain de savoir s'il y avait plus de caféine ou de sang dans ses veines à n'importe quel moment. Quand elle en voulait désespérément un et qu'elle était trop occupée à écrire pour s'en procurer un elle-même, leur majordome, Jaxon, semblait apparaître de nulle part juste à temps avec une tasse fraîche dans les mains. C'était le genre de service auquel on pouvait s'attendre d'un bon majordome.

Evie était fâchée en ce moment. C'était plus qu'évident.

Il pensa à lire dans son esprit pendant un quart de seconde, mais il se rappela qu'une telle chose n'était pas possible avec Evie et n'avait plus été possible peu de temps suivant leur première rencontre, environ trois mois plus tôt. De plus, ce n'était pas nécessaire. Nul besoin d'être un vampire pour savoir qu'elle entretenait des pensées meurtrières.

— Si tu veux la mort de quelqu'un, il y a des hommes qui s'en chargeront pour toi, puisque tu es ma reine, souligna-t-il, faisant en sorte qu'elle cesse de se concentrer sur son document.

Elle leva les yeux. Ces derniers, remplis d'indignation et de fureur, retrouvèrent lentement leur état normal.

— Ils ont dit que c'était de la merde, annonça-t-elle d'une voix presque tremblante. Ils ont dit que si cela représentait le travail de cette créatrice, qu'elle devrait songer à reconsidérer sa vocation.

Roman s'immobilisa, le vampire en lui s'éveillant brusquement.

— Ils ont dit cela de toi ?

Evie roula le document d'information et l'écrasa sur son bureau avec assez de force pour faire tomber la chandelle qui s'y trouvait. Cette dernière chuta vers les tuiles en céramique sur le plancher, mais Evie fit un geste irrité de la main, la stoppant dans sa descente avant qu'elle ne touche le sol et la replaçant aussitôt sur le bureau à l'endroit où elle se trouvait quelques secondes plus tôt.

— Non, lança-t-elle en fronçant les sourcils en regardant la chandelle et rien d'autre en particulier. Pas moi.

Roman était maintenant perplexe. Il sentit ses canines reprendre leur place dans ses gencives tandis qu'il entrait dans la pièce. Il s'approcha de son côté du bureau et s'appuya contre ce dernier.

— Alors qui ?

— Une de mes amies, une dramaturge. Sa première avait lieu samedi dernier. C'est une de ses critiques.

Elle secoua sa tête et s'adossa dans son fauteuil tout en croisant ses bras contre sa poitrine.

— Je la connais depuis des années, bien avant qu'elle ou moi ne bénéficiions d'une quelconque forme de publicité. C'est une des personnes les plus gentilles que je connaisse et son travail est tout sauf de la merde.

Evie serra ses dents et Roman remarqua que ses canines étaient allongées.

— Que savent-ils de l'écriture de pièces de théâtre ? Mon Dieu, elle va être dévastée quand elle va lire ça.

Roman y réfléchit en silence pendant un moment. Il avait vécu pendant une très longue période de temps, et une des nombreuses choses qu'il avait pu apprendre au cours de cette éternité était qu'au final, ceux qui avaient souvent le moins de choses à apporter à une forme d'art étaient très souvent ceux qui avaient le plus à dire.

— Sois gentille et prévenante avec ton esprit critique, l'avertit-il doucement. Il est aussi difficile d'écrire un mauvais livre que d'en écrire un bon.

Evie fut suffisamment déconcertée par cette citation soudaine qu'elle cligna des yeux et leva son regard vers lui.

— Qui a dit ça ?

— Malcolm, énonça-t-il.

— Cole ? lui demanda Evie, manifestement étonnée.

— Non, intervint-il en souriant. Malcolm Cowley.

Il tendit une main vers elle et glissa doucement une mèche de ses cheveux derrière son oreille.

— Auteur américain, journaliste, poète et critique littéraire décédé en 1989. Et tu as raison, concéda-t-il. Ils ne savent probablement rien du tout. Certaines personnes finissent simplement par s'ennuyer quand elles passent trop de temps sans avoir fait preuve de cruauté.

Il pouvait penser à quelques personnes sans trop s'y attarder.

Evie ferma ses yeux tandis que les doigts de Roman glissaient doucement de son oreille au contour de sa mâchoire avant de finalement frôler délicatement sa lèvre inférieure.

— Si tu veux, je pourrais lui rendre visite ce soir et faire en sorte que cette critique ne la perturbe pas.

Elle ne répondit pas ; il put voir son pouls accélérer dans ses veines le long de sa mince gorge et ses canines étaient de nouveau à leur pleine longueur dans sa bouche.

— Il est parfois bon d'être mariée au roi des vampires, chuchota Evie.

Roman sourit en exposant ses canines.

— Dis-moi, s'enquit sa femme en fronçant les sourcils légèrement, ses yeux toujours fermés. Est-ce que tous les vampires te considèrent comme étant leur souverain ? Même s'ils ne t'ont jamais rencontré ?

— Les vampires ne sont pas tous conscients de la façon dont notre société est fondée, et cela est également le cas pour les Akyri, les sorciers et loups-garous, surtout en ce moment. Il arrive quelquefois que nous soyons intégrés dans les rangs aveuglément.

Evie demeura silencieuse en y réfléchissant. Une minute plus tard, et sans se donner la peine d'ouvrir ses yeux, elle ajouta :

— En passant, pourquoi es-tu ici?

Sa voix était douce et distante. Elle se référait à sa présence dans cette maison où elle avait un bureau et où le conseil des vampires tenait souvent des réunions.

— Une réunion du conseil est prévue dans 15 minutes.

Ses yeux s'ouvrirent.

— À quel sujet?

— Certains membres du conseil sont inquiets à propos du retrait des Chasseurs. Cela a très peu de sens et ils se font du mauvais sang à l'idée que les Chasseurs puissent se retirer ainsi uniquement pour se regrouper d'une manière plus dangereuse.

Evie hocha la tête et repoussa son fauteuil pour se lever.

— Je partage la même inquiétude, pour être honnête.

— Nous allons prévoir une série de mécanismes de défense partout dans le royaume, annonça Roman.

Il hésita avant de poursuivre.

— Je pense qu'il était également temps de parler de Marius et de ses pratiques. Elles commencent à échapper à la maîtrise et Alberich a déclaré que certains de ses sorciers étaient traqués par des guerriers Akyri.

— Il y a là un certain écart par rapport à la norme, reconnut Evie en se référant sans doute à la façon selon laquelle les sorciers avaient toujours utilisé les Akyri en tant qu'esclaves, étant donné la dépendance qu'avaient les Akyri par rapport la magie noire pour leur survie.

— En effet, acquiesça Roman. Et ce n'est pas nécessairement pour le mieux. Les Akyri semblent adopter le rôle des tyrans, s'en prenant aux sorciers qui ne sont pas en mesure de se défendre eux-mêmes.

Evie fronça les sourcils.

— Quel sorcier n'est pas en mesure de se défendre lui-même?

— Une femme-sorcier qui n'aime pas nécessairement les pouvoirs qu'elle possède et qui tente très fort de ne les utiliser que pour faire le bien.

Evie se mordit la lèvre, serrant la chair dodue entre deux dents blanches. La vision de Roman se teinta de rouge.

— Une bonne femme-sorcier, marmotta doucement Evie en se parlant à elle-même. Une contradiction ambulante.

— En effet, acquiesça Roman. Et une contradiction qui draine la femme-sorcier, faisant d'elle une proie plus facile.

— Bien sûr, émit Evie avec du sarcasme dans la voix. Aucun acte de bonté ne demeure impuni.

Roman pouvait lire les frustrations écrites sur le beau visage de son épouse et il savait qu'elles s'y trouvaient non pas à cause des mauvaises nouvelles du jour, mais bien en raison des difficultés éprouvées par l'humanité en général. Elle avait une âme sensible. Les événements de la journée n'étaient que des gouttes qui menaçaient sérieusement de faire déborder le vase.

— J'espérais que tu considérerais assister à celle-ci, confessat-il en se référant de nouveau à la réunion imminente du conseil des vampires.

Son épouse était une femme très intelligente et elle était douée d'une très grande imagination. De telles qualités étaient utiles quand venait le temps de discuter de tactiques tant défensives qu'offensives.

Evie inspira par le nez et expira par la bouche.

— Tu sais à quel point je déteste les réunions.

— Je le sais, accorda-t-il.

Puis, il se pencha au-dessus d'elle, son corps la dominant physiquement tandis qu'il prenait doucement son menton dans sa main et inclinait sa tête afin que son regard croise de nouveau le sien.

— Je te le revaudrai.

Les pupilles d'Evie se dilatèrent et ses lèvres s'entrouvrirent, de sorte qu'il put de nouveau voir que ses canines s'allongeaient derrière elles. Il porta le coup de grâce.

— Je vais demander à Jaxon d'apporter du café frais et tout chaud à la réunion.

— C'est d'accord.

Roman sourit en sentant la chaleur et la vitalité de sa femme profondément dans ses os. Il se pencha pour l'embrasser et elle ferma ses yeux.

Une vague troublante déferla en lui, provoquant un frisson violemment négatif. Il figea sur place, ses sens en éveil, ses canines totalement exposées, ses yeux devenant rouges.

Si vite vous m'oubliez, mon amour. Que sont 200 années pour vous? Un éclair. Un rêve. Rien. *Et maintenant vous en embrassez une autre.*

Roman devint aussitôt immobile, abasourdi. La voix dans sa tête était si familière que c'était comme s'il l'avait entendue hier. Elle avait toutefois quelque chose d'étranger, touchée par quelque chose de troublant et changée, et le fait qu'elle soit dans sa tête était a priori tout à fait impensable.

Ophélia!

Oh, vous vous souvenez de moi après tout.

Le corps de Roman se déplaça avant qu'il ne se rende entièrement compte qu'il le dirigeait. Il pouvait sentir Evie derrière lui près du bureau et il pouvait sentir sa confusion, mais il ne pouvait rien y faire. Il arracha les rideaux de la fenêtre et regarda dans l'obscurité avec le regard aiguisé d'un chasseur. Le jardin était vide. La statue d'Ophélia était dressée de manière solennelle, regardant le ciel de la nuit.

— Roman?

C'était la voix d'Evie, doucement teintée par sa préoccupation.

Oh, elle est précieuse, mais il est trop tard mon amour. Il ne fallait pas réveiller la lionne qui dormait.

Roman se retourna en vitesse sur lui-même tandis que la voix dans sa tête semblait se répercuter sur les murs de sa conscience, provenant de toutes les directions en même temps. La confusion secoua ses os, abrasa ses nerfs. Il pouvait à peine croire ce qu'il entendait. Ophélia était vivante ?

Et elle était une vampire.

Plus incroyable encore était le fait qu'elle était parvenue d'une façon ou d'une autre à amasser assez de pouvoir pour entrer dans son esprit. Aucun autre vampire sur Terre ne pouvait le faire.

Vous avez réveillé la grande et méchante lionne vampire, continua Ophélia. Puis, elle éclata de rire et le son de ce dernier était comme d'entendre le mal incarné. *Maintenant, elle a faim,* poursuivit sa voix, emportée et plus loin qu'auparavant. Elle reculait. *Et elle a envie de ce qui a le plus de valeur pour vous.*

CHAPITRE 8

Siobhan sentit quelque chose frôler sa jambe et elle baissa les yeux. Un gros chat roux inclina sa tête vers l'arrière et leva ses yeux jaune clair vers elle. Sa queue donna un petit coup contre son mollet et s'enroula autour de sa jambe.

Miaouuu.

Siobhan sourit puis ôta ses gants avant de les déposer sur la terre de la plate-bande contre le mur est de sa maison. Le chat n'avait pas de collier ni de médaille. Elle s'agenouilla et le gratta doucement derrière les oreilles. Une étrange vibration se fit sentir du bout de ses doigts jusqu'à son poignet. Elle fronça les sourcils et retira sa main. La sensation disparut.

Le chat commença à ronronner avec force, miaulant de nouveau et cognant sa grosse tête orange contre l'intérieur de son genou. Il voulait encore plus de caresses.

Siobhan leva les yeux vers le ciel. Le soleil commençait enfin à décliner dans le ciel de l'ouest ; c'était le moment le plus chaud de la journée. Bien qu'elle préférait le jour à la nuit puisqu'elle ressentait moins le besoin d'utiliser sa magie en plein jour, elle n'avait jamais été une partisane de la chaleur.

— Voici ce que je te propose, dit-elle au chat en le grattant légèrement tout en tentant d'ignorer l'étrange vibration qui accompagnait ce geste. Je vais aller nous chercher quelque chose à boire. Reste ici.

Elle se leva et se dirigea dans la maison en passant par l'entrée, maintenant dépourvue de la présence d'une luisante Mustang noire. Elle avait utilisé sa magie la nuit dernière pour agrandir le garage, et la voiture s'y trouvait maintenant à l'abri.

Siobhan sortit le lait du réfrigérateur et en versa dans un bol pour le chat, puis elle se prépara un verre d'eau glacée. Elle se dirigeait vers la porte d'entrée lorsqu'elle entendit la moto.

Elle figea au milieu de son enjambée et un peu de lait quitta le bol pour venir éclabousser le plancher de bois franc. Elle baissa les yeux vers le lait d'un air irrité, mais la majeure partie de son attention était consacrée à ce *son*. C'était un grondement profond, pas le son aigu de la moto qui l'avait suivie sur la route 107. Ce qui était néanmoins étrange était la familiarité de ce son. Il l'emplissait d'un pressentiment, asséchait sa gorge et transformait son estomac en plomb.

— Qu'est-ce qui ne va pas ? demanda Steven, apparaissant soudainement à ses côtés, plus solide que jamais.

Siobhan secoua sa tête.

— Je ne sais pas.

Elle se retourna, déposa le bol et le verre sur les tablettes contre le mur et leva les yeux vers lui.

— À quoi ressemblait le démon ?

C'était la première fois qu'elle lui demandait de lui décrire son assaillant. Il l'avait déjà fait une fois, tout de suite après être revenu sous sa forme de fantôme, mais elle avait été dans un tel état de choc qu'elle n'avait pas vraiment digéré l'information. Pas correctement.

— Avait-il des cheveux noirs ? demanda-t-elle.

Steven secoua sa tête en fronçant les sourcils.

— Non. Il était blond. Pourquoi ?

Ses yeux bleus se plissèrent.

Il était venu à l'esprit de Siobhan que cette crainte insensée qu'elle avait ressentie envers le motocycliste pouvait avoir un lien avec l'assaillant de Steven. Trop de temps s'était écoulé depuis l'attaque ; elle n'avait aucune idée pourquoi elle avait été laissée tranquille. Pourquoi le démon n'avait-il pas tenu sa promesse de revenir pour elle ?

Enfin, peut-être qu'il l'*avait* tenue. Peut-être que le fait qu'elle soit déménagée dans une nouvelle maison lui avait temporairement fait perdre sa trace et qu'il venait de la retrouver. Et que c'était lui. Toujours sur une moto.

Les cheveux du motocycliste étaient cependant de la couleur de la nuit et donc pas blonds du tout.

— Siobhan, qu'est-ce qui se passe ? Parle-moi.

Steven tendit la main, peut-être instinctivement, comme s'il voulait la prendre solidement par le haut des bras. Il l'avait fait auparavant, à plusieurs reprises depuis qu'il était revenu sous la forme d'un fantôme. À la différence des fois précédentes, ses mains ne passèrent pas directement à travers le corps de Siobhan. Elles ralentirent plutôt au seuil de sa chair avant de finalement glisser à travers elle avec une lenteur épaisse et molle.

L'effet était douloureux. C'était mal d'une manière fonda-mentale et Siobhan recula jusqu'à ce qu'elle soit libérée de son emprise. Mais même alors qu'elle se déplaçait hors de sa portée, elle eut l'impression que ses doigts mirent trop de temps à libérer son corps. Le glissement dans sa peau était glacial et étranger, donnant à Siobhan la sensation qu'une partie d'elle qui n'aurait jamais dû être froide venait de geler tout d'un coup.

— Steven, lança-t-elle lorsqu'elle fut prise d'un violent frisson et qu'elle s'entoura de ses bras à l'endroit où des marques glacées invisibles avaient été laissées sur ses bras par son toucher. Qu'est-ce qui se passe ?

Steven cligna des yeux et baissa son regard vers ses mains. Siobhan les regarda tandis qu'il les retournait. Elle ne pouvait plus voir à travers elles. Plus vraiment.

Le bruit de la moto devint plus fort à l'extérieur. Elle s'approchait et Siobhan jeta un coup d'œil par-dessus son épaule en direction de la porte de la salle de séjour.

— C'est lui, murmura-t-elle sans s'en rendre compte.

— Qui ? demanda Steven.

C'était davantage une demande qu'une question.

Siobhan hésita, puis elle soupira.

— L'homme qui m'a suivie sur la route. Il parvenait à me suivre malgré toutes mes tentatives pour le distancer.

Elle secoua sa tête.

— Je sais que c'est lui.

Steven se redressa, sa grande silhouette ayant les yeux fixés sur la porte. Siobhan l'observa tandis qu'un déluge d'émotions se manifestait en elle. Le corps de Steven était presque solide. Elle le savait dans son cœur ; une autre journée et il serait entier de nouveau. Il avait à peine traversé son propre corps sans demeurer... coincé ou quelque chose. Elle frissonna à cette pensée. Et ses yeux étaient maintenant si brillants qu'ils étaient presque rayonnants. Il semblait amplifié d'une façon ou d'une autre. Différent.

Puissant.

L'expression sur son visage changea toutefois tandis qu'elle continuait à le regarder. Elle y vit d'abord de la colère, suffisante et féroce. Mais alors que la moto s'avançait dans son allée maintenant déserte et que son moteur se taisait, son expression se chargea d'incertitude, puis de doute, et enfin d'une peur intense.

— Ne le fais pas entrer, Siobhan, chuchota Steven. Quoi que tu fasses, ne le fais pas entrer.

Et il disparut sur ces mots. Le détective était là un instant et n'était plus qu'une bouffée de volutes blanches qui s'évapora dans le néant un instant plus tard.

Une vague de froid déferla sur Siobhan tandis qu'elle demeurait là, ses yeux bien grands, ses doigts refermés avec force sur le haut de ses bras.

On frappa à la porte, clairement et fermement.

Siobhan demeura immobile, le cœur battant avec force, le souffle retenu. Des secondes passèrent et on frappa de nouveau, cette fois un peu plus fort.

Siobhan se retourna avec lenteur. Ses jambes s'engourdissaient et ses pieds picotaient, et elle s'approcha ainsi de la porte avant de se pencher et de poser son œil contre le judas. L'homme à l'extérieur lui tournait le dos, son attention attirée par quelque chose tout près des marches du porche. Elle eut le temps de remarquer la largeur de son dos enveloppé de cuir noir et la manière dont ses épais cheveux noirs frisaient sur son col, soulignant les courbes marquées de son cou et de son menton avant qu'il ne se penche et se retrouve hors de sa vue, ne lui laissant plus voir que la couleur rose-orange du ciel alors que le soleil commençait à se coucher.

Siobhan se redressa, ferma ses yeux, avala sa salive avec difficulté et ouvrit le loquet de la porte avant d'ouvrir cette dernière en vitesse.

— Puis-je vous aider? demanda-t-elle, étonnée de la quantité de force qu'elle fut en mesure d'injecter dans sa voix.

L'étranger était accroupi, et ses jambes semblaient musclées et fortes là où elles venaient s'appuyer contre ses jeans. Il grattait le même chat roux qui avait recherché son attention un peu plus tôt. Il ne se retourna pas et ne se leva pas davantage avant de lui dire ces mots.

— Votre conduite était réellement impressionnante avant-hier soir.

Siobhan sentit le sang refluer de son visage. Sa voix était grave et remplie de toute sorte de connaissances interdites.

— Je suppose que vous avez caché la Mustang dans le garage, ajouta-t-il. Garage qui n'était pas assez grand pour elle avant-hier.

Il se leva alors et posa ses mains sur ses hanches avant de se retourner pour lui faire face. Ses mains tombèrent sur les côtés de son corps et il figea sur place, son grand corps puissant tout entier devenant aussi immobile qu'une statue. Les pupilles de ses yeux d'un pâle vif-argent se dilatèrent et ses lèvres s'entrouvrirent légèrement.

Siobhan eut le souffle coupé. Un bourdonnement éclata dans ses oreilles.

Elle n'avait jamais vu un homme aussi beau que lui.

CHAPITRE 9

Une éternité s'écoula avant que l'un d'entre eux ne puisse parler ou seulement même bouger. Ils semblaient figés là dans le temps de chaque côté du seuil de la porte, séparés par une frontière qu'aucun d'eux ne pouvait voir, mais que tous deux pouvaient sentir.

Les cheveux noirs bouclés de l'étranger frôlaient le col de sa veste en cuir noir et une ou deux mèches de cheveux frottaient la barbe de quelques jours qui ornait son menton prononcé. Ses yeux semblaient projeter des étincelles dans son beau visage, si légères qu'elles ressemblaient à de l'électricité. Elle allait frire dans la chaleur de leur profondeur dangereuse, mais elle ne pouvait pas détourner son regard.

Il avait de larges épaules et une taille fine, et sa silhouette remplissait l'embrasure comme un mur ombragé. Là, sur place, bouchée bée comme elle l'était, elle perçut une odeur de savon et de cuir. Sa bouche se mit à saliver, instantanément soumise au réflexe de Pavlov.

Une sensation de faiblesse s'installa dans les os de ses jambes lorsque l'étranger leva enfin ses bras, si lentement, et vint les appuyer de chaque côté de la porte afin de se pencher vers l'avant. C'était un geste de prédateur et Siobhan aurait reculé, sauf qu'elle se sentait clouée sur place.

— C'est vous, dit-il, sa voix cascadant sur elle comme une chute d'eau magique. Vous êtes celle que je…

Il déglutit et sembla s'arrêter, pour retenir ses prochaines paroles avant qu'elles aient la chance de venir au monde. Il hésita, ses yeux plongeant dans les siens, son charisme incroyable agissant comme un aimant sur son sang.

Il lui dit finalement :

— Vous êtes celle que j'ai sentie sur l'Anime. C'est votre pouvoir qui le retient ici, n'est-ce pas ?

Son ton ne s'éleva jamais, mais l'inflexion était si personnelle et les mots si violemment contre nature que ce fut comme s'il l'avait transpercée d'un coup de lance avec eux.

Son souffle demeura coincé dans ses poumons et ses yeux s'agrandirent encore plus dans son visage.

Il sourit et ses lèvres s'ouvrirent lentement pour révéler des dents blanches et bien droites… et des incisives un peu plus longues qu'elles auraient dû être.

— Vous êtes une sorcière, comprit-il.

— Partez, répondit-elle.

Puis, elle cligna des yeux. C'était comme si elle avait parlé sans que son cerveau lui donne la moindre instruction en ce sens. Le mot avait simplement été prononcé, sur un mode défensif, protecteur et effrayé.

Le regard en fusion de l'étranger se plissa et elle le sentit la traverser jusque dans son âme.

Puis, les yeux de l'étranger s'agrandirent seulement un petit peu et il se redressa dans l'embrasure. Sa tête s'inclina légèrement sur un côté.

— Vous êtes *une femme-sorcier.*

À part les retouches qu'elle apportait aux vieilles voitures et aux antiquités ainsi qu'aux maisons vieilles de quelques siècles, Siobhan utilisait rarement sa magie, et *jamais* contre les gens. La raison pour laquelle elle n'utilisait pas sa magie contre les gens était parce que c'était spécifiquement ce que sa magie *voulait* qu'elle fasse. Elle avait passé sa vie à lutter contre son pouvoir, contre la tentation, et jusqu'à ce moment précis, Siobhan aurait pu jurer haut et fort qu'elle gagnait la bataille.

Mais alors qu'elle se trouvait là dans les limites de sa propre propriété et qu'elle se sentait emprisonnée par l'imposante présence de l'homme qui se trouvait devant elle, Siobhan pouvait sentir la magie couler dans ses mains. Elle réchauffait ses paumes et tourbillonnait tout juste derrière ses yeux. Elle semblait chaude, volatile et mortelle.

— Partez s'il vous plaît, répéta-t-elle, cette fois-ci presque davantage inquiète pour la sécurité de l'homme que pour la sienne.

L'étranger la regarda avec une méfiance prudente, une émotion illisible et quelque chose qui s'apparentait à de la détermination. Sa mâchoire était serrée et ses mains agrippées solidement contre le cadre de la porte. Il secoua sa tête.

— Je crains de ne pas pouvoir faire ça.

Ne le fais pas entrer, Siobhan. Les mots de Steven se faisaient entendre de nouveau dans sa tête. *Quoi que tu fasses, ne le fais pas entrer.*

Que Dieu me vienne en aide, pensa-t-elle en faisant un pas vers l'arrière tout en soulevant sa main droite et en s'abandonnant à sa magie. Elle s'écoula en elle triomphalement, tout à fait prête à prendre les rênes, tout à fait disposée et capable de savoir exactement quoi faire.

Mais lorsque sa main s'illumina d'une lumière dangereuse, l'étranger s'avança et entra dans la salle de séjour, faisant claquer la porte derrière lui avec une vitesse incroyable. C'était la dernière chose à laquelle elle s'était attendue. Elle s'était attendue à ce qu'il s'éloigne, qu'il recule ou même qu'il se dérobe sur le côté. Pas à ce qu'il s'approche encore plus d'elle.

Elle tressaillit lorsque la magie se libéra, propulsée vers sa poitrine dans un flot conique de lumière rouge qui s'obscurcissait d'un noir d'encre en son centre. Des étincelles qui ressemblaient à des étoiles dansèrent dans l'obscurité, de petites taches de lumière semblables à de la poudre de perlimpinpin et à la Voie lactée. Siobhan retint son souffle alors qu'elle tentait de faire du mal à une autre personne pour la première fois de sa vie.

Le rayon de magie aux multiples couleurs frappa toutefois l'étranger et fut détourné, s'enroulant autour de sa poitrine tandis qu'il se dissipait en une morne couleur orange avant de virer au gris et de s'évaporer complètement. L'étranger l'observa pendant tout ce temps, ses yeux ne quittant jamais les siens, son grand corps tout à fait indemne.

— Comment…

— Votre magie ne peut pas me faire de mal, femme-sorcier, expliqua-t-il en faisant un pas vers elle et en secouant sa tête d'un air chargé de réprimande. Et je dois dire que ce n'était pas très gentil.

Son regard s'assombrit et sa bouche parfaite esquissa un sourire vilain, les lèvres fermées. Cet air lui faisait bien, que Dieu lui vienne en aide. C'était vraiment beau sur lui. C'était le genre de regard que les femmes désiraient sur elles dans la sécurité et le confort de leurs propres rêves, la nuit. C'était un genre de regard dangereux, prédateur et rempli de promesses, et Siobhan ne s'était jamais autant sentie comme une proie.

Elle fut assaillie par une grande variété d'émotions à ce moment précis et n'aurait pas été en mesure de les comprendre même si elle avait tenté de le faire. Heureusement pour elle, les pensées conscientes de son esprit laissèrent la voie libre aux actions physiques associées à la lutte ou à la fuite. Elle n'avait pas d'autre choix que de s'y abandonner, car sa vie était en péril aux yeux de son cerveau primitif.

Elle leva ses deux mains cette fois-ci et la magie s'accumula dans ses paumes comme si quelqu'un avait ouvert les vannes. L'étranger baissa les yeux, vit la lumière se rassembler aux extrémités de ses bras et décida cette fois-ci de réagir, soulevant sa propre main droite paume vers l'extérieur en réponse à son geste.

Le pouvoir quitta son corps et fonça vers lui comme le jet d'un lance-flammes, mais la vive magie pétaradante pétilla quand elle s'approcha de la paume ouverte de l'étranger. Il sembla l'attraper dans sa main et l'unir en une seule petite boule de lumière avant de refermer ses doigts, anéantissant ainsi la magie.

— Qui êtes-vous, par l'enfer? cria finalement Siobhan, maintenant aux prises avec une véritable terreur.

Il n'avait pas quitté son regard des yeux et ils étincelaient à présent d'une énergie magique, rayonnant presque d'une lumière blanche, lui donnant un air démoniaque. Le cœur de Siobhan martelait péniblement.

— Oh mon Dieu, dit-elle doucement tandis qu'elle prenait conscience de quelque chose. Vous êtes le démon. Vous avez tué Steven.

Le fait que ses cheveux soient noirs et non blonds ne signifiait pas qu'il n'était pas celui qui avait tué son ex-petit ami et mis le feu à sa maison. Si un démon pouvait saisir de la magie comme il venait de le faire, il pouvait sans doute également modifier son apparence physique. Elle avait été stupide de ne pas y avoir pensé avant. Ce moment d'inattention dans son jugement pourrait maintenant lui coûter la vie.

Mais au lieu de reconnaître l'accusation comme Siobhan s'était attendue de lui, l'étranger fronça les sourcils et lui jeta un regard moqueur.

— Vous parlez du détective.

— Oui, acquiesça-t-elle à travers ses dents qui commençaient à se serrer. C'est ce qu'il *était*.

Une certaine connaissance vacilla dans son regard blanc rayonnant avant que la lueur ne commence à s'apaiser. Il sembla arriver à une conclusion ou une compréhension. Il secoua sa tête.

— Non, indiqua-t-il. Je n'ai absolument pas tué Steven Lazare.

Siobhan ne serait jamais en mesure de décrire le soulagement qui inonda son système en entendant ces mots. Elle n'avait aucune raison logique de le croire. Elle n'avait aucune idée de qui il était et ne connaissait même pas son nom. Il était un genre d'être doté d'un grand pouvoir, et malgré le fait qu'elle ne l'avait pas dit, il connaissait même le nom de famille de Steven et savait qu'il avait été un détective. Il avait toutes les caractéristiques du démon. Elle était folle de le croire, mais elle le croyait *tout de même* avec certitude. Dans son cœur, elle savait irréfutablement que ce n'était pas lui qui avait enflammé Steven et que cette connaissance était plus réconfortante que des paroles pourraient l'exprimer.

— Il est toutefois la raison pour laquelle je suis ici, poursuivit-il.

Il fit un nouveau pas vers l'avant et Siobhan se retrouva en train de reculer. L'atmosphère se déplaçait devant lui, comme si l'air lui-même voulait lui accorder davantage d'espace. Elle pouvait sentir son pouvoir la frôler juste avant qu'elle ne sorte de la bulle surnaturelle qui l'entourait, et le frôlement de cette magie fit picoter sa peau. Ce n'était pas désagréable.

— Je sais qu'il est ici quelque part, continua-t-il.

Il détacha son regard du sien et jeta un coup d'œil dans la vieille maison. Tout était calme en haut ; il n'y avait aucun mouvement autour d'eux. Il se retourna sur lui-même, comme s'il tentait de détecter où Steven aurait pu aller.

— Je peux le sentir.

— Qui êtes-vous ? répéta Siobhan.

Pendant ce temps, elle pensait à l'arme à feu qui se trouvait à l'étage, une arme de collection Smith and Wesson qu'elle avait réparée avec beaucoup d'autres articles achetés dans une vente de succession quelques mois auparavant. Elle était en état de marche maintenant, grâce à sa magie. Et bien que l'intrus semblait immunisé contre sa magie, elle doutait fortement qu'il puisse bouger assez rapidement pour stopper une balle.

Le problème était de *parvenir* à cette arme. Ça et rassembler le courage de l'utiliser.

Elle se sentait terriblement déchirée pendant qu'elle fixait du regard son dos large emballé de cuir, son derrière ferme et parfait sous ses jeans usés, sa taille ainsi que sa largeur. Il était si beau qu'elle se languissait littéralement à l'intérieur. Et jusqu'à présent, il n'avait rien fait pour lui faire du mal. Jusqu'à présent.

L'étranger se retourna pour lui faire face. Ses yeux argentés s'illuminèrent une fois de plus et ses pupilles se dilatèrent.

— Je m'appelle Thane, se présenta-t-il. Je suis…

Il sembla sur le point de lui fournir de plus amples explications, mais sa voix se tut graduellement et son regard se plissa.

— Combien de choses savez-vous, femme-sorcier ?

— À propos de quoi ? demanda-t-elle.

Il y avait 10 pas de course jusqu'au pied de l'escalier, 17 autres pas jusqu'au deuxième étage et 8 pas de plus jusqu'à la porte de la chambre à coucher. Elle le savait. Elle les avait comptés.

— De ce que vous êtes.

Il la regarda avec méfiance.

— De ce que Steven Lazare est maintenant.

— Thane, répéta-t-elle en ignorant sa question. C'est tout?

Elle s'approcha un peu plus du bord du mur, se préparant à courir.

— Aucun nom de famille?

— C'est un diminutif pour Thanatos, précisa-t-il. Aucun nom de famille et croyez-moi, vous ne ferez pas deux pas avant que je vous rattrape.

Siobhan figea sur place, à l'intérieur comme à l'extérieur. Les incisives qu'elle avait remarquées plus tôt étaient maintenant plus longues. Des canines. Comme celles d'un vampire.

Ou d'un démon, ajouta-t-elle. *Peu importe ce qu'il peut bien en dire.*

Thanatos, répéta-t-elle mentalement. Elle avait entendu ce nom quelque part auparavant, n'est-ce pas? Elle était si perplexe; son monde basculait. Plus rien ne faisait de sens.

— Écoutez, je ne sais pas de quoi vous parlez, mentit-elle alors que son regard passait de ses dents à ses yeux de la couleur des étoiles.

Elle savait *exactement* de quoi il parlait. Il cherchait le fantôme de Steven. Elle ne savait pas pourquoi et elle ne savait pas comment, mais elle comprenait tout simplement.

— Et je ne vous ai pas invité dans ma maison.

Elle avait parlé comme Buffy.

— Vous n'avez pas l'autorisation d'être ici, ajouta-t-elle, comme si elle avait voulu passer sur la référence aux vampires. Partez ou je vous jure que j'appellerai les flics.

Elle retira son téléphone de la poche arrière de ses jeans cou-
pés. Elle l'avait apporté dehors à tout hasard au cas où elle rece-
vrait des appels pendant son jardinage. L'étranger (Thanatos,
ou Thane, ou peu importe) pouvait bien être une incarnation
de la magie et avec ces dents, les dieux seuls savaient ce qu'il
pouvait être d'autre. Et peut-être qu'elle ne pouvait pas davantage
s'échapper de lui à la course. Mais tandis qu'elle composait le 9
suivi du premier 1 en laissant son doigt suspendu au-dessus du
deuxième 1, elle fit le pari avec le destin qu'il ne voudrait pas
avoir un auditoire de voitures bleues et blanches pour ruiner sa
soirée.

Sur ce, Thanatos éclata de rire. Son rire était réel et profond,
et le son était intoxicant.

— D'accord, concéda-t-il. Faites donc cela. Appelez les flics.
Dites-leur qu'un étranger immunisé contre la magie des sorciers
vient de faire irruption dans votre maison parce qu'il cherche le
fantôme de votre petit ami décédé.

Il fit un autre pas vers l'avant.

Siobhan recula dans le mur derrière elle.

— En fait, continua-t-il en jetant un nouveau coup d'œil
autour d'eux dans la maison de plus en plus sombre avant de
poser de nouveau son regard sur elle, pourquoi ne pas nous
épargner à tous les deux beaucoup de temps et de dérangement
en appelant le bon détective ?

— Elle n'a pas besoin de le faire, l'interrompit une voix derrière lui.

Siobhan arracha ses yeux de lui pour étirer le cou et jeter un
coup d'œil derrière lui. Le soleil s'était couché pour de bon et l'obscurité s'était installée dans la maison, rendant les ombres encore
plus sombres. Steven Lazare se tenait de l'autre côté de la salle de
séjour, sa grande silhouette aussi solide et réelle que jamais.

— Je suis ici, dit-il. Vous me voulez, roi des fantômes ?
Ses yeux bleus étaient maintenant officiellement luisants.
— Venez me chercher.

CHAPITRE 10

Les mots avaient presque jailli de sa bouche.

— C'est vous, dit-il.

Puis, il avait presque tout laissé sortir séance tenante.

Thane avait su qu'il y aurait un certain genre de magie dans cette maison. La personne qui vivait ici avait conduit la Mustang qui avait défié toutes les lois de physique connues des hommes. Il s'était attendu à une certaine force et il s'était presque attendu à ce qu'il s'agisse d'une femme après avoir fait les rapprochements requis, avant de se rendre compte par la suite que quelqu'un portant le nom de « Siobhan » était derrière l'évasion du purgatoire de l'escroc d'Anime et d'avoir enfin reconnu la signature du pouvoir provenant de la façade de la maison.

Il se croyait donc préparé lorsqu'il s'était approché de la maison et qu'il avait frappé à la porte. Le chat aurait dû lui mettre la puce à l'oreille. C'était un esprit dévoyé, lui aussi, un chat mort depuis longtemps qui, pour une raison quelconque, était revenu sur le plan terrestre et était maintenant plus solide que n'importe quel fantôme qu'il avait jamais rencontré.

— Puis-je vous aider? demanda une voix hésitante, rauque, mais méfiante.

Il plaça la beauté du son de sa voix en veilleuse, sachant qu'il devait se concentrer à trouver l'esprit avant de retourner à son travail.

Mais il se leva alors avant de se retourner pour faire face à la porte, et tout son univers bascula dans la seconde.

Une masse d'épais cheveux roux bouclés encadrait un visage à la peau claire, et de délicates taches de rousseur décoraient l'arête d'un petit nez retroussé. Un menton de poupée en porcelaine, de parfaites petites oreilles et une grande bouche séduisante le ravissaient. Le plus stupéfiant de ses traits faciaux étaient ses yeux, d'un brun si pâle qu'ils étaient de la couleur de l'ambre, mis en relief par les reflets dorés de ses cheveux auburn.

Ces yeux le regardèrent, grands et innocents, et dans l'espace de cette courte éternité et à travers la distance des quelques centimètres qui les séparaient, ils parvinrent à capturer son cœur comme rien d'autre n'avait jamais pu le faire.

Siobhan. Il se souvint de son nom. Steven Lazare l'avait prononcé.

Il fut frappé par chaque parcelle de sa présence du même coup et fut sidéré sur le plan émotionnel tandis que l'air était simultanément expulsé de ses poumons. Il n'avait aucune idée de la durée de l'instant au cours duquel il demeura là à la fixer du regard sans dire un mot, sans cligner des yeux et sans bouger d'un centimètre.

Un millénaire s'écoula avant qu'il ne se retrouve penché vers l'avant, ses mains agrippant les côtés de la porte, son corps, son esprit et son âme ne voulant rien de plus que la toucher, l'infiltrer et être subitement enveloppé par elle.

— C'est vous, dit-il, sa voix semblant lointaine à ses propres oreilles. Vous êtes celle que je…

Vois en rêve.

Voilà ce qu'il avait presque dit.

Mais une certaine méfiance dans les profondeurs de ses yeux magnétiques l'avait stoppé dans son élan et il avait avalé le reste de la phrase, la retenant en lui-même comme s'il avait voulu la conserver pour une date ultérieure.

Pas encore, chuchota son esprit. *Elle n'est pas prête. Pas encore.*

Il changea de direction en un battement de cœur.

— Vous êtes celle que j'ai sentie sur l'Anime. C'est votre pouvoir qui le retient ici, n'est-ce pas?

C'était vrai, au moins. Elle était la femme dont il avait rêvé, mais il avait aussi reconnu la signature de son aura comme étant la même qui avait entouré Lazare tout juste avant sa disparition. C'était ce qui l'avait incité à revenir à la maison en premier lieu. Il ne savait simplement pas ce que cela signifiait.

Siobhan lui dit de partir, mais il ignora son ordre. Il avait été émis faiblement et il savait qu'elle ne le pensait pas. Pas vraiment. En fait, il *espérait* que ce n'était pas le cas. Parce qu'il était totalement hors de question de partir, et surtout pas maintenant.

Il regarda plus profondément dans ses yeux, poussa plus loin derrière la barrière de son aura et tenta de lire dans son esprit avec toute la force qu'il possédait. Ce faisant, il se rendit compte qu'elle était une utilisatrice de la magie. Et pas de n'importe quel type. Elle était une femme-sorcier.

C'était inattendu et particulier. Il y avait une incorruptibilité à propos d'elle, une pureté et une absence de défauts qu'on ne retrouvait habituellement pas chez les sorciers. C'était comme si elle avait possédé la capacité de causer beaucoup de dommages depuis l'époque où elle avait été assez vieille pour marcher, et qu'elle ne l'avait encore jamais utilisée.

Le scintillement dans l'obscurité, comprit-il. C'était ce qui avait rendu son pouvoir sombre si magnifique quand il avait entouré l'Anime de Lazare. Il scintillait et brillait comme de la poudre de perlimpinpin ; parce qu'il n'était pas encore maléfique. Seulement sombre. Et il n'y avait rien de mal en soi. Après tout, c'était dans l'obscurité la plus pure que l'on était le plus en mesure de voir les étoiles.

Une femme-sorcier qui ne faisait pas de mal. Une telle chose était presque du jamais vu. La force qui avait dû être requise pour en arriver là l'étonnait au plus haut point.

Mais tandis qu'il y réfléchissait, en considérant le tout dans son ensemble, il sentit l'équilibre de la vie et de la mort ondoyer ailleurs dans le monde. Une voiture piégée venait d'entraîner la mort de 12 personnes. Juste comme ça, en quelques instants.

La race humaine ignorait à quel point la vie était précieuse. L'improbabilité même de l'existence était considérée comme allant de soi. Le fait demeurait qu'une créature vivante était si rare que l'astronome Carl Sagan avait déjà dit que l'on pourrait parcourir cent milliards de galaxies sans en trouver une autre.

Et dans un claquement de doigts, la présence de Thanatos était requise ailleurs. Encore une fois, le temps était étiré à sa limite et il savait que ses moments dans ce plan étaient limités. Il avait un travail à accomplir.

— Partez s'il vous plaît, répéta-t-elle.

Mais il ne pouvait pas faire ça. *Pas sans vous*, pensa-t-il.

Non, se corrigea-t-il. On aurait dit que son propre esprit devenait rebelle.

— Je crains de ne pas pouvoir faire ça, dit-il à haute voix.

Pas sans Steven Lazare.

Deux choses vinrent alors à l'esprit de Thane. De un, si Lazare était revenu ici pour protéger cette femme, la meilleure façon de faire sortir le fantôme de l'ombre était probablement de la menacer d'une certaine façon. Et de deux, si Lazare était revenu ici pour protéger Siobhan, c'était qu'il devait se soucier d'elle. Il n'y avait pas de bague à ses doigts, d'ombre ou de corne qui aurait pu indiquer qu'elle aurait pu en porter une. Elle n'avait donc jamais été mariée. Steven Lazare devait avoir été son petit ami.

Thanatos décida très sèchement de laisser tomber la deuxième observation à la faveur de la première. Il n'avait pas le temps de gérer la colère que la deuxième évoquait.

Il aurait dû s'attendre à la réaction de Siobhan à ses paroles. Elle était peut-être innocente, mais elle était probablement loin d'être stupide. Il était un homme adulte, un étranger, et elle était une belle femme et autrement seule. Ses mots et sa présence furent la goutte qui fit déborder le vase de sa détermination de femme-sorcier, et Thane éprouva une tristesse difficile en voyant la magie s'accumuler dans ses mains, sa réaction naturelle au danger qu'il représentait.

À cause de lui, elle allait utiliser la magie contre une personne. De le savoir le déchirait et il se détesta pour ce qu'il l'obligeait à faire.

Il demeura cependant déterminé et passa à l'action, entrant dans sa maison sans avoir été invité à le faire et fermant la porte dans un claquement derrière lui.

La décharge de pouvoir qu'elle dirigea vers lui de sa main n'eut bien sûr aucun effet sur lui. Il était le roi des fantômes et en vertu de ce titre, la magie dans ce plan matériel avait autant d'impact sur lui qu'elle en aurait eu sur un fantôme. Elle n'en avait donc eu *aucun*.

La décharge d'énergie s'enveloppa autour de lui et fut détournée comme s'il possédait un bouclier jusqu'à ce qu'elle cesse entièrement d'exister.

— Comment…

— Votre magie ne peut pas me faire de mal, femme-sorcier, expliqua-t-il en faisant un pas vers elle et en secouant sa tête d'un air chargé de réprimande.

C'était préférable d'avoir l'air aussi menaçant que possible, même si la seule pensée de le faire nouait un peu son estomac en le rendant légèrement malade.

— Et je dois dire que ce n'était pas très gentil, ajouta-t-il comme s'il voulait défier sa propre hésitation.

Il permit à son regard de s'assombrir et à sa bouche d'esquisser un sourire cruel, les lèvres fermées.

Il fit quelques pas de plus, progressant davantage dans la maison, ressentant le poids et la pression du temps tandis qu'il ouvrait ses antennes à la recherche de l'Anime. Il n'avait toujours pas de succès. Steven Lazare devait savoir qui il était, *ce* qu'il était et ce qui se produirait s'il apparaissait. Il avait manifestement été un détective dans la vie pour une raison.

Thane était seulement partiellement vexé par le refus de Steven de se montrer. Les morts en attente s'accumulaient et le temps n'était pas son allié, et malgré cela, une très grande part de lui voulait que ceci continue pour toujours. Tant que Lazare résisterait… Thane demeurerait ici, dans cette maison, à coincer la petite femme-sorcier dans un coin.

Est-ce que c'était mal pour lui de le faire ?

Qui s'en soucie.

La seconde attaque de Siobhan fut plus forte. Elle leva ses deux bras cette fois et le pouvoir qui s'accumula dans ses mains fut 10 fois plus grand que la décharge qu'elle avait libérée précédemment. C'était sa peur qui réagissait maintenant, l'alimentant comme une prise de courant et la déclenchant comme de la foudre.

Il y avait un risque que son pouvoir endommage des choses autour de lui comme la porte, les murs ou le plancher s'il lui permettait simplement de rebondir sur lui cette fois-ci. Il y avait également un risque qu'une partie du pouvoir s'échappe, possiblement par les fenêtres ou même directement à travers la charpente de la maison. Un passant pourrait en être témoin ou même être touché par lui, et le secret de Siobhan serait révélé.

Thane leva donc sa main droite et attendit que la détonation vienne vers lui. Lorsqu'elle arriva, il se concentra et l'absorba en formant un condensé de magie de plus en plus dense avant de l'écraser dans sa paume en serrant son poing.

Sa manœuvre fonctionna. La terreur était manifestement visible dans les yeux de la femme-sorcier, se faisant l'écho de son désespoir qui, à son tour, illumina les parcelles dorées de ses yeux.

— Qui êtes-vous, par l'enfer ? cria-t-elle. Oh mon Dieu, dit-elle avant qu'il ne puisse répondre. Vous êtes le démon. Vous avez tué Steven.

Il y avait un tremblement dans sa voix, une fluctuation instable dans son ton qui laissait présager une crise de nerfs.

Tu es un bâtard, Thane, l'accusa sa voix intérieure.

Il fronça toutefois les sourcils à la mention du mot démon. *Un démon ?* Puis, le tout lui revint en mémoire. *Steven Lazare a été tué par un démon.* Le détective avait été assassiné par un monstre qui l'avait littéralement incendié.

Il se rendit compte que Siobhan pensait *qu'il* était ce démon et qu'il était revenu pour terminer le travail.

— Non, indiqua-t-il sans délai. Je n'ai absolument pas tué Steven Lazare.

Il voulait que ce fait soit absolument clair.

— Il est toutefois la raison pour laquelle je suis ici, ajouta-t-il.

Il fit un nouveau pas vers l'avant et Siobhan recula. Le petit mouvement fit ressortir le prédateur en lui, donnant le signal au frisson de la poursuite.

— Je sais qu'il est ici quelque part, continua-t-il.

Il détacha son regard du sien et jeta un coup d'œil dans la vieille maison. *Montrez-vous, Lazare*, pensa-t-il. La maison était calme autour d'eux et aucun indice ne révélait la présence du fantôme de Steven. Thane se risqua à tourner le dos à la femme-sorcier en continuant à chercher dans les recoins de la maison pour une trace de l'Anime.

— Je peux le sentir.

— Qui êtes-vous? répéta Siobhan.

Thane se retourna pour lui faire face et ce faisant, il fut de nouveau ravi par la beauté de son visage. Il perdait la maîtrise de lui-même face à elle.

— Je m'appelle Thane, se présenta-t-il.

Le ton de sa voix s'était considérablement adouci depuis la dernière fois où il avait pris la parole. Il ne pouvait rien y faire quand il lui faisait face.

— Je suis…

Il retint ses prochaines paroles. Il avait été sur le point de lui dire qu'il était le roi des fantômes, mais l'innocence qu'il voyait dans ses yeux était plus révélatrice qu'une absence de connaissance à propos de l'acte de tuer. Elle reflétait une absence de connaissance à propos du monde surnaturel en général.

Elle ne le sait pas, s'aperçut-il.

Elle ne savait pas qui était le roi des fantômes, ni l'un ou l'autre des Treize rois, d'ailleurs. Elle se rendait sans doute à peine compte de qui elle était et de ce qu'elle était. Ce fait expliquait possiblement pourquoi elle n'avait encore jamais vraiment fait de mal à quiconque. Il était plus facile de céder à la magie noire lorsqu'un groupe de soutien œuvrait en ce sens. C'était une mentalité de groupe. Un autre opiacé de masse. Si elle pensait qu'elle était seule à être ainsi, elle serait obligée de prendre ses propres décisions et de considérer le bien et le mal de ses actions en se basant sur leurs propres mérites.

Il réfléchit à ses options.

— Combien de choses savez-vous, femme-sorcier?

— À propos de quoi? demanda-t-elle.

Le tremblement était toujours dans le petit côté rauque adorable de sa voix. Elle était effrayée, mais il espérait qu'elle se soit maintenant rendu compte qu'il ne lui voulait aucun mal.

— De ce que vous êtes, répondit-il.

Son regard se dirigea rapidement vers le côté et son propre regard se plissa. Il la regarda avec méfiance, remarquant qu'elle se déplaçait très lentement vers sa droite.

Peut-être pas, pensa-t-il en poussant un soupir mental. Elle pensait à s'échapper. *Elle planifie sans doute de grimper les escaliers en vitesse*, se dit-il. Il y avait peut-être une arme quelconque au deuxième étage.

Reste calme, Thane.

— De ce que Steven Lazare est maintenant, ajouta-t-il en choisissant d'ignorer le fait qu'elle venait de faire un autre petit pas vers la droite.

— Thane, répéta-t-elle en ignorant sa question de façon flagrante. C'est tout? demanda-t-elle sur un ton incrédule.

Elle s'approcha un peu plus du bord du mur, se préparant manifestement à se mettre à courir.

— Aucun nom de famille?

— C'est un diminutif pour Thanatos, précisa-t-il tandis que sa mâchoire se serrait et que ses mains formaient des poings.

Il n'était pas de ce monde, pas vraiment un homme, pas près du tout d'être un mortel, et ses canines, qui avaient toujours été un peu plus longues que la norme pour un humain, s'étaient maintenant allongées dans sa bouche, devenant de véritables crocs.

— Aucun nom de famille et croyez-moi, vous ne ferez pas deux pas avant que je vous rattrape.

Siobhan figea sur place, ses yeux se déplaçant sur sa bouche, où ses canines étaient maintenant clairement visibles.

— Écoutez, je ne sais pas de quoi vous parlez, dit-elle en mentant horriblement mal.

Il savait qu'elle savait très bien de quoi il parlait, mais elle protégeait Lazare, ce qui ne contribuait pas à la bonne humeur de Thane.

— Je ne vous ai pas invité dans ma maison, continua-t-elle. Vous n'avez pas l'autorisation d'être ici. Partez ou je vous jure que j'appellerai les flics.

Elle retira un petit téléphone portable de sa poche arrière et composa à la hâte deux des trois numéros qui la mettraient en communication.

Thane ne put se retenir. Il éclata de rire. C'était un rire véritable, extirpé des profondeurs de son ventre. Il y avait bien trop de fichue pression sur lui pour ça.

— D'accord, concéda-t-il. Faites donc cela. Appelez les flics. Dites-leur qu'un étranger immunisé contre la magie des sorciers vient de faire irruption dans votre maison parce qu'il cherche le fantôme de votre petit ami décédé.

Il fit un autre pas vers l'avant.

Siobhan recula dans le mur derrière elle.

— En fait, ajouta-t-il en sachant que le moment était venu.

Steven devait se montrer maintenant, faute de quoi Thane ne pourrait être tenu responsable de ce qu'il envisageait de faire. Ses canines étaient allongées, sa colère était en hausse, et la bouche pleine et charmante de Siobhan lui faisait légèrement perdre la tête. Si le bâtard d'Anime rebelle ne se matérialisait pas à temps pour l'arrêter, il allait pousser la séduisante petite femme-sorcier contre le mur, la coincer là avec une prise ferme et l'embrasser jusqu'à ce qu'elle en perde le souffle.

— Pourquoi ne pas nous épargner à tous les deux beaucoup de temps et de dérangement en appelant le bon détective ?

— Elle n'a pas besoin de le faire, l'interrompit une voix derrière lui.

Siobhan arracha ses yeux de Thane pour étirer le cou et jeter un coup d'œil derrière lui. Ce faisant, elle exposa sa gorge à son regard et les canines de Thane palpitèrent dans sa bouche.

C'était quelque chose qu'il avait en commun avec le roi des vampires. Roman D'Angelo absorbait du sang parce qu'il devait le faire ; c'était le liquide de la vie.

Thanatos aimait goûter du sang à l'occasion non pas parce qu'il le nourrissait, mais plutôt parce qu'il lui faisait de l'effet. C'était *vraiment* le liquide de la vie. Et le roi des fantômes ne se sentait jamais plus vivant que lorsqu'il absorbait une infusion de l'essence même de l'existence humaine dans ses propres veines fantomatiques quasi inexistantes.

Mais l'Anime était finalement arrivé.

Et il y aurait du temps pour s'amuser plus tard. Thane s'en assurerait.

Il se tourna lentement pour faire face à l'esprit rebelle. Steven Lazare s'était matérialisé dans la salle de séjour, sa grande silhouette aussi solide et réelle que la sienne.

— Je suis ici, dit-il à Thane, un air de défi gravé dans les beaux traits de son visage. Vous me voulez, roi des fantômes ? Venez me chercher.

CHAPITRE 11

Marius, le roi Akyri, savait bien qu'il s'était engagé sur un terrain glissant. L'être qu'il tentait maintenant d'approcher ne ressemblait en rien à ce qu'il avait seulement pu regarder, ce qui ne voulait pas dire grand-chose, et il ne pouvait pas vraiment voir quoi que ce soit jusqu'à présent. C'était tout noir devant.

Il courait de grands risques en venant ici, mais on lui avait transmis des informations d'une si grande valeur, et c'était une occasion si rare et précieuse que d'ignorer le tout serait sans doute une grave erreur. Surtout maintenant, alors qu'il pouvait sentir que les 12 autres rois parmi les 13 du groupe devenaient anxieux. Plus spécifiquement D'Angelo.

Ce n'était qu'une question de temps avant que le roi des vampires intervienne et quand il le ferait, Marius devrait livrer le combat de sa vie.

Ceci l'aiderait à l'éviter. Ça l'aiderait à obtenir ce qu'il voulait maintenant, *et* à long terme.

Quand Marius s'était lancé aux trousses de la femme-sorcier rousse, Siobhan, il s'était retrouvé face à un mortel qui, de l'avis de Marius, n'était peut-être pas seulement mortel. Un combat avait suivi ; l'homme était policier et il avait été bien entraîné pour se battre. Il avait donné du fil à retordre à Marius et au final, toute cette épreuve avait été un fiasco à plusieurs égards.

Le combat avait épuisé Marius plus que d'habitude. Il avait coincé l'homme et avait commencé à le détruire avec un sort de feu quand une sensation étrange l'avait assailli. Il avait enveloppé le mortel d'une flamme meurtrière et ce faisant, il avait eu la sensation la plus étrange… qu'il était en train de *se* tuer.

C'était suffisamment déconcertant pour que Marius recule au tout dernier moment, retirant les derniers éléments de son sort. Les dommages qu'il avait infligés étaient plus que suffisants pour tuer un homme. Et si son adversaire était humain, il ne serait plus qu'un esprit maintenant et habiterait sans doute dans le misérable royaume du roi des fantômes. Il n'était plus un obstacle sur sa route et son but avait donc été atteint.

Mais s'il n'était *pas* humain, s'il y avait la moindre chance que le sentiment de Marius à propos de cet homme soit dans le mille et qu'il soit vraiment un genre d'Akyri en dépit de son apparence humaine, alors il survivrait. Sa forme mortelle disparaîtrait et il subirait des changements tandis qu'il se dépouillerait de son humanité. Après une brève période de rétablissement au cours de laquelle il devrait sans doute absorber le pouvoir d'un sorcier, il reviendrait à l'être qu'il était, mais un peu plus puissant qu'auparavant. Un peu moins humain et un peu plus Akyri.

Le problème était que de lancer ce sort puis de le retirer par la suite comme il l'avait fait avait été fâcheusement difficile pour Marius. Il avait eu besoin de nourriture suivant la disparition du policier et après que le feu avait été bien installé, et la petite femme-sorcier qu'il était venu voir était complètement absente. Cette nouvelle déception contraria suffisamment Marius pour qu'il détruise la maison qui l'entourait avant de quitter le secteur.

Il avait perdu sur les deux tableaux.

Et maintenant, il ne sentait pas seulement qu'on lui refusait quelque chose, non. Il était animé d'un esprit de vengeance. Il avait tenté de revenir pour la prendre à plusieurs reprises. Son pouvoir, si sombre, brillant et pur, l'attirait comme aucune autre magie ne l'avait jamais fait. Mais chaque fois qu'il parvenait à la localiser (pendant son déménagement, dans sa nouvelle maison), *il* était là, tel un genre de champ de force qui ne le laissait pas passer.

C'en était assez.

La nuit dernière, il avait rêvé d'une personne sur un trône sombre. Dans le rêve, on lui avait donné un grand cadeau. Il avait goûté à la magie sur sa langue et dans ses os, et elle avait également coulé dans ses veines. Cette magie avait été la *sienne*. Dans le rêve, il avait gagné. Et elle était sienne.

La personne sur le trône lui donnerait la puissance dont il avait besoin pour traverser le champ de force et prendre ce qu'il voulait. C'était pourquoi il était ici, debout dans l'ouverture de la caverne cachée, regardant de l'autre côté de l'espace éclairé par des torches à l'obscurité qui lui accorderait ses désirs les plus profonds.

Il ne voyait rien dans le noir le plus obscur, alors Marius inclina la tête en guise de respect, mais également en raison d'une certaine crainte qui, il l'espérait, ne paraissait pas.

— Je vous avais dit que d'autres viendraient, dit une voix féminine.

La tête de Marius se releva en vitesse, ses yeux froids brillants comme le soleil se reflétant sur un iceberg. L'obscurité s'était atténuée un peu et il pouvait maintenant discerner certaines choses.

Une femme qu'il n'avait jamais vue auparavant se tenait à côté d'un trône taillé dans la pierre de l'autre côté d'une vaste pièce.

Elle était incroyablement belle, avec son épaisse chevelure noire comme l'ébène, sa peau pâle, ses lèvres rouges, son long corps voluptueux et son habillement provocateur.

Elle était également une vampire.

Les siècles d'existence du roi Akyri permettaient *beaucoup* de choses à Marius, et l'une d'elles et non la moindre était la capacité d'identifier des êtres surnaturels à vue.

La vampire lui sourit d'un air satisfait, ses lèvres cramoisies relevées pour former ce sourire secret que tant de vampires avaient élevé au rang d'art. Ses yeux bleu foncé dégageaient une lumière artificielle. Elle avait faim. Marius connaissait bien ce regard.

À côté d'elle, dans les ombres d'un imposant trône noir apparemment taillé dans de l'obsidienne ou de l'onyx, bougeait une personne vêtue d'une robe noire. C'était le plus infime des mouvements et pourtant l'air de la caverne se déplaçait avec lui. L'air changeait quand il remuait, vacillant presque comme s'il avait perturbé l'équilibre des ions dans l'atmosphère.

Marius déglutit, produisant un son très audible dans le silence surnaturel.

La femme se pencha vers la personne comme si elle l'écoutait parler. Marius n'entendit rien, mais un instant plus tard, elle se redressa et son sourire s'agrandit, lui donnant un aperçu de ses canines. Elle quitta le côté du trône et descendit les marches de pierre menant à l'estrade surélevée, ses talons cliquetant sur la roche.

— Mon seigneur a décidé d'acquiescer à votre demande, indiqua-t-elle.

Son regard se plissa. *Je n'ai encore rien demandé.*

— Cela n'est pas nécessaire, poursuivit-elle comme si elle pouvait lire dans son esprit.

Il était un Akyri et né de la même magie de sorcier qui coulait dans les veines d'un vampire. L'avantage en était que la plupart des vampires ne pouvaient pas lire dans son esprit. Roman D'Angelo était une exception notable.

Peut-être que cette femme en était une aussi.

— Mon seigneur sait ce que vous voulez et il croit que de vous l'accorder serait avantageux pour tous.

Elle s'arrêta à quelques mètres de lui et baissa son regard pour l'observer des pieds à la tête.

— Particulièrement pour lui, conclut-elle.

Son ton avait adopté une note sensuelle.

— Pouvez-vous lire dans mon esprit, Chimère ? lui demanda Marius sans détour, en faisant référence à elle en utilisant l'autre nom sous lequel les vampires étaient connus dans le monde surnaturel. « Chimère » n'était pas un terme aussi formel que « vampire » et il était quelque peu péjoratif puisqu'il sous-entendait qu'un vampire n'était rien de plus que le résultat d'une séance de jambes en l'air de quelqu'un d'autre. Il maintint néanmoins le niveau de sa voix à celui d'une conversation privée. Il n'était pas nécessaire de hausser la voix ; les vampires bénéficiaient d'une excellente ouïe.

La femme inclina la tête sur un côté et son sourire s'agrandit. Ses yeux commençaient à rougeoyer.

— Je le peux.

— Alors je peux voir que certains de vos vœux ont également été exaucés, paria Marius.

Elle rit sous cape et le son était séduisant.

— C'est bien le cas. Vous l'avez vu dans un rêve, n'est-ce pas ?

Elle fit un geste de la main vers la pièce et le trône sombre derrière elle.

— C'est également mon cas. C'est mon destin et c'est aussi manifestement le vôtre.

Marius n'ajouta rien.

— Les récompenses pour votre servitude seront nombreuses, roi Akyri, continua la femme.

Elle leva sa main et glissa doucement un ongle le long de sa mâchoire.

— Vous n'en avez aucune idée.

Le regard de Marius passa de la femme à la personne dans l'ombre sur le trône qui n'avait pas bougé de nouveau.

— Oh, je pense que je le sais.

CHAPITRE 12

Le roi des fantômes ? pensa Siobhan. Avait-elle bien entendu ? Elle n'avait que peu de temps pour y réfléchir, parce qu'un pressentiment s'installait en elle. Un nœud d'un sombre destin tissé serré était en train de se desserrer, douloureux dans le coup de fouet provoqué par son desserrage. Quelque chose de mal était sur le point de se produire.

Thanatos s'était retourné et il faisait maintenant face à Steven. La tension dans l'air entre les deux était palpable.

— Votre place n'est pas ici, Lazare, déclara Thanatos.

— Êtes-vous absolument certain de ça ? demanda Steven.

Le ton de sa voix avait baissé et il était mêlé d'une certitude calme qu'elle ne l'avait jamais entendu utiliser auparavant. Il y avait quelque chose de différent à propos de lui, quelque chose que Siobhan ne pouvait pas identifier. Non seulement était-il aussi solide qu'il l'avait été avant sa mort, mais il semblait aussi… plus grand ? Elle fronça les sourcils. Elle avait l'impression que sa présence était devenue plus puissante, que son aura était plus brillante. Il était davantage *là* qu'il ne l'avait jamais été, même lorsqu'il avait été en vie.

Devant elle, Thanatos sembla aussi remarquer quelque chose à propos de l'ancien détective. Il hésita et son regard gris étincelant glissa sur la silhouette de Steven, l'examinant avec grand soin.

Siobhan contourna Thane puis les observa tous deux avec un vil intérêt. Son cœur martelait dans sa poitrine et chaque neurone dans son cerveau criait pour lui dire de quitter la maison, mais son corps refusait de les écouter. Ses pieds étaient lourds et ses yeux étaient rivés sur les deux hommes devant elle, tous les deux si forts et tellement mâles que la salle de séjour tout entière pulsait pratiquement sous l'effet de la testostérone.

— Je ne peux pas vous laisser demeurer ici, détective. Je suis désolé. Vous avez été envoyé vers mon royaume pour une raison.

— Je suis sûr que oui, acquiesça Steven. Mais j'ai aussi été renvoyé ici.

Il fit une pause puis s'avança ensuite de quelques pas d'une manière désinvolte comme s'il voulait rencontrer Thanatos quelque part au milieu de toute cette tension électrique. Puis, il ajouta :

— N'est-ce pas ?

Thanatos pensa à ses mots en silence. Siobhan retint son souffle.

— Je vais faire un marché avec vous, détective, dit finalement Thanatos. Revenez avec moi maintenant et si vous disparaissez de nouveau et réapparaissez directement ici, alors cela ne me concernera plus.

— Je crains de ne pas pouvoir faire ça, répondit Steven en secouant la tête.

Il ressembla à Thanatos lorsque ce dernier avait refusé de quitter sa porte d'entrée.

— La seule chose qui empêche ce démon de revenir s'en prendre à Siobhan est ma présence ici.

Le regard de Thanatos se plissa. Il jeta un coup d'œil à Siobhan, et son regard s'accrocha au sien avec une force brutale.

— Le démon?

Siobhan se racla la gorge.

— Celui qui a tué Steven.

Elle libéra avec grande difficulté son regard de celui de l'étranger et leva les yeux vers Steven.

— Tu es la raison pour laquelle il n'est pas revenu s'en prendre à moi?

C'était également nouveau pour elle.

C'était toutefois parfaitement logique. Elle s'était demandé pourquoi il n'était pas revenu.

Steven sembla déchiré.

— Je n'ai pas voulu te le dire, mais il a fait la promesse de revenir pour toi, et bien que j'ignore comment ou pourquoi, je sais que mon esprit le maintient à l'écart par sa présence ici.

— Votre *esprit*, s'étonna Thanatos en concentrant de nouveau son regard sur l'ancien détective. Il semble curieusement solide ces jours-ci.

C'était une déclaration factuelle et la voix de la curiosité, mais puisqu'il ne semblait y avoir rien à répondre à cette observation, tout le monde garda le silence.

L'attention de Siobhan se porta de nouveau sur ce que Steven venait de dire. Est-ce que sa présence tenait réellement le démon à l'écart? Était-ce pourquoi elle était aussi effrayée? En dépit des manières grossières et du poids exaltant de la seule présence de Thanatos, il était réellement évident pour Siobhan qu'il ne lui voulait aucun mal. Il n'était pas ici pour elle, il était ici pour Steven. Alors pourquoi avait-elle aussi peur? À moins que ce que Steven disait soit vrai et que dès l'instant où il disparaîtrait, le démon se montrerait et la carboniserait.

— Pourquoi est-il à mes trousses ? demanda-t-elle.

Elle n'avait pas eu l'intention de poser la question à haute voix et regretta aussitôt de l'avoir fait une fois les paroles prononcées. D'une part, elle ne voulait pas rappeler à Steven qu'il était mort à cause d'elle, de près ou de loin. Et d'autre part, elle ne voulait presque pas savoir pourquoi le démon la recherchait.

Thanatos observa Siobhan, et elle sentit son propre regard s'arrimer de nouveau au sien. C'était troublant de la plus terriblement délicieuse façon d'être étudiée aussi attentivement par un tel homme. Elle voulait que ça arrête. Et elle ne voulait vraiment pas que ça arrive.

— Parlez-moi de lui, ordonna-t-il doucement.

Siobhan cligna des yeux. Elle ne savait pas s'il lui parlait ou s'il s'adressait à Steven. Il la regardait, mais Steven était certainement plus qualifié pour décrire son assaillant.

— Il… il est blond, balbutia-t-elle, lui transmettant le seul détail qu'elle connaissait vraiment.

— Il avait les yeux bleus jusqu'à ce qu'il passe à l'attaque, puis ses yeux ont viré au rouge, reprit Steven en attirant l'attention de Thane et en retirant enfin le poids de son regard sur Siobhan.

Thane se redressa.

— Continuez.

— Il était grand, poursuivit Steven. À peu près de notre taille.

Siobhan se rendit alors compte que Steven et l'étranger étaient pratiquement de la même grandeur. Ils avaient également une charpente très similaire. Ils étaient tous deux de très beaux hommes, mais Thane produisait un effet au fond d'elle-même qu'elle n'avait jamais ressenti avec Steven ; et elle venait à peine de le rencontrer.

— Il avait des pouvoirs qui ressemblaient à ceux de Siobhan, continua Steven en la regardant.

Une expression inquiète et légèrement coupable traversa son visage.

— Il a arraché une porte de ses charnières en prononçant un seul mot.

Siobhan sentit un éclat de fureur naître en elle.

— Je n'ai jamais rien fait de tel dans toute ma vie !

— Non, dit Steven. Mais tu le pourrais.

La fureur s'intensifia.

— Comment pourrais-tu le savoir ?

Son regard passa de Steven à Thanatos, qui l'observait en silence, le tourbillon argenté de ses yeux absorbant tout ce qu'il voyait.

Elle concentra de nouveau son attention sur Steven.

— Et pourquoi ne m'as-tu pas parlé de ça, Steven ? demanda-t-elle. Comment as-tu pu ne pas me mentionner quelque chose de ce genre ? Le fait qu'il soit un utilisateur de la magie comme je le suis ? C'est… c'est…

Essentiel, pensa-t-elle.

Et si mal. Qu'est-ce que cela signifiait ? Le démon n'était-il en fait qu'un sorcier ? Quelqu'un comme elle, et non pas un monstre cracheur de feu, avait-il été assez maléfique pour détruire aussi totalement son ex-petit ami ?

— Et c'est pourquoi je ne te l'ai pas dit, dit tranquillement Steven. Je ne pourrais jamais te comparer avec la bête qui m'a tué, Siobhan. Je savais toutefois que tu aurais une opinion différente. Tu es la femme la plus entêtée que j'ai jamais rencontrée.

Il secoua sa tête, glissa sa main dans ses cheveux blonds et sembla si réel, si absolument le contraire d'un mort que Siobhan oublia temporairement qu'il avait été tué.

Il continua.

— Je savais aussi que si je te transmettais des informations à propos du tueur, tu cesserais d'attendre qu'il se montre et tu te lancerais toi-même à ses trousses.

La bouche de Siobhan s'ouvrit.

Puis, elle se referma. Elle cligna des yeux. Elle transféra son poids d'une jambe à l'autre. Puis, elle expira brusquement.

Il avait raison.

— Admets-le, dit-il. Tu serais partie d'ici dès que j'aurais eu le dos tourné. Et crois-moi quand je te dis que tu ne veux pas confronter cet homme, Siobhan. Il te mangera pour son petit déjeuner.

— Je suppose que c'est exactement ce qu'il a à l'esprit, renchérit Thanatos en se glissant dans la conversation.

Sa voix grave était si inattendue dans la tension de leur conversation qu'elle la prit immédiatement au piège. Elle était également rassurante, comme un baume sur le rebord effilé de sa peur.

Elle le regarda. Steven le regarda. Tous deux attendirent.

— Votre démon est un Akyri.

CHAPITRE 13

— Je n'arrive pas à croire que je n'y ai pas pensé avant, s'étonna Thane.

— Un *Akyri*…, chuchota Siobhan.

Les démons qui s'alimentaient de la magie ; de la magie comme la sienne.

— C'est pourquoi il était ici. Il voulait ma magie.

— Vous connaissez les Akyri ? demanda Thane.

Siobhan se mordit la lèvre, se demanda ce qu'elle devait révéler à cet homme puis elle prit la parole.

— Steven vous a appelé le roi des fantômes. Pourquoi ?

C'était maintenant à son tour de se demander quelles informations il devait partager. Il devait cependant vouloir davantage jouer franc jeu avec elle qu'elle n'était prête à le faire avec lui, car il lui répondit ceci :

— C'est ce que je suis. Je règne sur le plan des Animes, un monde où les esprits des gens qui sont morts de manières injustifiées sont envoyés. Au fil du temps, ces esprits ont porté plusieurs noms, l'un d'entre eux étant celui de fantôme. C'est de là que vient mon titre.

Il l'observa tandis qu'elle tentait d'assimiler ces informations, mais il y en avait trop en même temps et elle avait à peine commencé à penser au nombre d'années auquel il faisait référence lorsqu'il parla de nouveau.

— Et maintenant, dites-moi ce que vous savez.

Elle cligna des yeux.

— Quoi?

— À propos des Akyri, continua-t-il.

Il lui accordait toute son attention, son corps maintenant tourné vers elle, ses yeux brûlants perçant un trou à travers elle.

Pour sa part, Steven était demeuré là où il se trouvait, devant la porte. Elle risqua un regard dans sa direction. Il la regardait lui aussi et sembla quelque peu étonné. Qu'elle soit au fait de l'existence des Akyri était nouveau pour lui également.

Siobhan respira à fond, glissa une main dans ses cheveux et grimaça lorsqu'elle la coinça dans un nœud. Puis, elle leur raconta tout. Elle leur parla de son enfance, de comment elle avait caché ce qu'elle était à son entourage et de l'Akyri qu'elle avait rencontré au fil des années.

Une fois son récit terminé, les lumières du corridor et de la salle de séjour avaient été allumées et elle était assise dans la causeuse de la salle de séjour, ses mains posées sur ses cuisses. Thane était appuyé sur le côté du canapé face à elle, ses bras croisés contre sa poitrine. Steven se tenait dans le couloir voûté qui menait à la cuisine et ses mains étaient posées sur ses hanches.

— Pourquoi ne m'en as-tu rien dit? demanda Steven.

Siobhan lui adressa un regard impassible. Elle était une femme-sorcier. Elle parlait de démons.

— Je te laisse résoudre cela, détective.

Les yeux bleus de Steven se plissèrent. Siobhan détourna le regard et se retrouva de nouveau au centre du regard de Thane. Il souriait. Cet air lui allait incroyablement bien, même si ses canines étaient légèrement plus longues qu'elles auraient dû l'être. Elles s'étaient au moins rétractées dans ses gencives.

Des canines. Cet homme avait du pouvoir.

Puis, son sourire disparut, juste comme ça. Ses yeux s'agrandissaient. Son attention passa subitement de Siobhan à Steven.

— Merde, chuchota-t-il. Je pense que je sais pourquoi vous empêchez l'Akyri de revenir.

Les mains de Steven s'abaissèrent, son expression faciale à la fois inquiète et avide.

— Vous êtes orphelin, n'est-ce pas ? demanda Thanatos en s'éloignant du divan et en décroisant ses bras.

Steven hocha la tête.

— Et alors ?

Thane l'étudia en silence et Siobhan pouvait voir qu'il mordillait l'intérieur de sa joue comme s'il soupesait une quelconque décision. Une esquisse de sourire revint sur son visage puis il parla pour lui-même.

— Eh bien, il y a seulement un moyen de le savoir, Thane.

Sur ces mots, il baissa sa main droite. Il y eut une accumulation de pouvoir dans sa main. Siobhan le reconnut immédiatement comme étant la magie qu'elle avait utilisée sur lui ; elle avait la même apparence et la même sensation. Elle portait sa signature comme un portrait portait celle de son peintre. Sa magie revenait maintenant dans le monde, s'accumulant dans la poigne de la main de Thane, comme s'il l'avait simplement absorbée et conservée pour plus tard.

Steven baissa nerveusement les yeux vers cette magie.

— Que faites-vous ?

— Je teste une théorie.

Thane souleva sa main droite et projeta l'étincelante masse noire tourbillonnante en direction de Steven.

Le détective n'eut pas le temps de l'esquiver ou de fuir. Il fit plutôt la seule chose qu'il *pouvait* faire. Il leva ses deux bras devant lui comme un bouclier.

Siobhan sentit ses yeux s'agrandir d'incrédulité lorsque sa magie percuta Steven, mais au lieu de le réduire en miettes, ce qui était ce qu'elle avait d'abord voulu que la décharge de pouvoir produise, elle cascada sur ses bras… puis s'enfonça dans son corps.

C'était comme regarder de l'eau se faire absorber par une éponge. Il n'y avait aucune autre façon de le décrire. L'étincelante décharge noire l'enveloppa puis s'estompa lentement, pénétrant sa chemise puis sa peau comme si elle avait soif d'elle.

Le détective baissa lentement ses bras. Ses yeux étaient fermés et ses dents étaient serrées. Il semblait souffrir.

Non, pensa Siobhan avec inquiétude. *Pas de la douleur, mais du plaisir.*

— C'est bon, n'est-ce pas? demanda Thane en ne voulant sans doute pas que cela ressemble à une question, mais plutôt à une déclaration factuelle.

Steven n'avait pas encore ouvert ses yeux, mais elle pouvait l'entendre expirer d'une manière chancelante dans l'air chargé de magie de la pièce.

Thane fit un pas vers l'avant et le son de ses bottes sur les planches de bois retentit avec une force inquiétante.

— Je pense pouvoir affirmer sans me tromper que je sais maintenant un petit quelque chose à propos de vos parents, détective. Ou au moins à propos de l'un d'entre eux.

Il fit un autre pas.

— Et je parie que je connais la raison pour laquelle vous avez été attiré par Siobhan.

Il s'arrêta et posa ses yeux sur elle, permettant à son regard de s'attarder sur sa silhouette.

— Enfin, *une* des raisons, à tout le moins.

Son sourire était de retour et il avait quelque chose de mal.

Il se tourna de nouveau vers Steven.

— Vous avez du sang Akyri en vous, Lazare.

Il fit un autre pas.

Steven ouvrit finalement ses yeux. Ils étaient de nouveau lumineux, mais cette fois, ils rougeoyaient.

— Et vous aviez raison, ajouta Thane en s'arrêtant à quelques pieds de l'ancien détective. Vous n'appartenez pas à mon royaume. Parce que vous n'avez jamais été mort.

*   *   *

Marius se trouvait sur le bord du trottoir dans l'ombre d'un chêne massif et il fixait la maison de l'autre côté de la rue de ses yeux d'un bleu glacial. Le soleil s'était couché plusieurs heures plus tôt, la lune était haute dans le ciel et les lampadaires éclairaient faiblement l'asphalte désert et les voitures garées dans la rue. C'était la mi-mai, et à part des papillons de nuit et des moustiques suicidaires qui essaimaient autour des ampoules bourdonnantes des lampadaires, rien ne bougeait dans le calme.

Sauf le chat.

Miaouuu.

Marius baissa les yeux. Il était apparu de nulle part et était maintenant assis au milieu de la rue noire, sa queue orange enroulée autour de ses pattes, ses grands yeux jaunes posés sur

Marius. Il ne bougeait pas, se contentant de le fixer du regard comme s'il attendait quelque chose.

C'était perturbant.

Le regard de Marius se transforma en un regard noir avant qu'il ne le retire du chat roux et ne consacre de nouveau son attention à la maison de l'autre côté de la rue.

Plusieurs journées s'étaient écoulées depuis la dernière fois qu'il l'avait regardée. La femme-sorcier avait apporté de nouveaux changements à la façade, continuant à gaspiller son énorme potentiel sur des tâches insignifiantes comme l'amélioration du foyer. La Mustang qui s'était trouvée sous l'abri de voiture n'y était plus.

Le champ de force était toutefois encore présent. Ce qui avait bien pu l'empêcher d'entrer dans la maison lors de ses dernières tentatives était encore là. Le champ de force entourait la maison comme un mince emballage de cellophane, iridescent pour lui et invisible pour tous les autres.

La maison était située dans un cul-de-sac dans une partie plus ancienne et plus tranquille de Salem. Le reste du terrain entourant la maison avait été réservé à des aménagements paysagers qui avaient vu de meilleurs jours. *Tant mieux*, pensa Marius tandis qu'il sentait le pouvoir qu'il avait nouvellement absorbé prendre vie en lui. Plus il y avait d'arbres et d'arbustes autour de la maison, moins de bruit les voisins entendraient.

Il esquissa un sourire méchant et descendit du trottoir. Le chat sur la route baissa sa tête, et ses yeux jaunes devinrent orangés avec une lumière intérieure. Il produisit un son en guise d'avertissement, un son grave et prolongé, et la nuit s'arrêta pour l'écouter.

Marius lui adressa un autre regard noir. Il hésita puis il souleva une main avec l'intention de donner à cette bête rousse un arrière-goût de ses nouveaux pouvoirs. Le miaulement d'avertissement du chat se métamorphosa cependant en sifflement puis les lampadaires de la rue commencèrent à siffler eux aussi. Marius leva les yeux. Les globes des lampadaires éclatèrent les uns après les autres, passant de la lumière à l'obscurité. Des morceaux de verre se répandirent sur le sol en tintant sur le trottoir et l'asphalte en une chute miroitante.

La rue devint noire. Marius baissa les yeux une nouvelle fois et constata que le chat avait disparu. Volatilisé.

Marius releva son regard vers la maison. Les lumières s'étaient également éteintes à l'intérieur. Cet animal n'était manifestement pas mortel ; il avait d'une façon ou d'une autre perturbé l'électricité sur un demi-pâté de maisons. Marius sentit ses dents et sa mâchoire se serrer avec irritation. *Foutu chat.* Quand il aurait terminé sa besogne ici, il en pourchasserait et en tuerait une vingtaine. Il s'en sentirait mieux. Mais pour le moment, il avait un plus gros chat à fouetter.

Marius traversa la rue avec une allure décidée. En s'approchant, il entendit le son de voix en pleine conversation. Il s'arrêta une fois à la hauteur des rosiers dans la cour de la femme-sorcier et attendit.

Deux hommes, une femme. Une des voix lui était familière. *Très familière.*

Les yeux bleus de Marius furent injectés de rage, ce qui les fit passer à une couleur ambré mat puis au rouge. Thanatos était dans la maison. Le *roi des fantômes.*

Il jura intérieurement. Son sang bouillonna et sa tête tourna. Que *diable* cet homme faisait-il *ici* ? N'avait-il pas un travail vraiment important à faire ailleurs ? N'était-il pas presque *toujours* absent du plan mortel ? La mâchoire de Marius commença à faire mal et sa tête palpita. Thanatos ciblait son territoire. C'était la seule explication. Il devait avoir rencontré la femme-sorcier à un certain moment et aimé ce qu'il avait vu. Il ne pouvait pas le blâmer; elle était une bien jolie chose avec tous ces cheveux roux et ces lèvres parfaites. C'étaient des lèvres à embrasser; c'étaient des lèvres à *baiser*. Il avait la ferme intention de la faire s'agenouiller devant lui et de lui enfoncer son membre dans le fond de la gorge avant d'avoir fini de la dépouiller de la totalité de sa glorieuse magie noire.

Il n'était pas question que Thane parvienne à elle en premier dans *l'un ou l'autre* des plans.

Les mains de Marius formèrent des poings. S'il attaquait maintenant, tandis que le roi des fantômes était là, ce serait l'équivalent d'une déclaration de guerre. Sa place à la table des Treize rois serait révoquée pour toujours. Il serait banni et les 12 autres rois le pourchasseraient sans relâche. D'Angelo veillerait sans doute à ce qu'il en soit ainsi.

Il en était rendu là. Soit il croyait suffisamment au pouvoir de son nouvel allié obscur pour couper tous ses vieux liens ici et maintenant, soit il reconnaissait avoir fait un mauvais choix en se rangeant du côté du mauvais homme. C'était un moment décisif.

Marius demeura dans l'obscurité et leva les yeux vers la maison de trois étages pendant trois secondes de plus. Ce faisant, il invoqua le pouvoir qu'on lui avait donné. Là-haut, dans le ciel de plus en plus sombre de la nuit, des nuages commencèrent à se former et à tourbillonner à l'unisson. Les étoiles disparurent du ciel.

Et à 1500 km au loin, une déesse emprisonnée fronça les sourcils dans son sommeil tandis qu'un peu plus de sa magie lui était extirpée.

CHAPITRE 14

Thane attendit que l'ancien détective reprenne le dessus sur lui-même. Les yeux de Lazare rougeoyaient à présent avec la lumière des Akyri et avaient probablement une apparence semblable à celle des yeux de son assaillant quelques semaines plus tôt. Il avait également l'air choqué. Et effrayé.

— Vous ne le saviez pas, dit Thane.

Un de ses parents était un Akyri, mais l'autre était manifestement humain, et c'était cette humanité qui avait servi de bouclier pour bloquer cette partie sombre de lui durant toute sa vie.

— Qu'est-ce qui vient tout juste de se passer ? chuchota Siobhan.

Elle était debout à côté de la causeuse, son adorable visage encore plus pâle qu'à la normale. Ses yeux ressemblaient à des soucoupes dorées dans sa tête. Elle avait l'air toute petite. Il voulut la tenir dans ses bras.

— Je… je suis désolé, Siobhan. Il a raison, s'excusa Steven d'une voix légèrement tremblante. Je ne le savais pas.

Il secoua sa tête, et un regard impuissant et honteux revendiqua son beau visage.

Thane pouvait comprendre ces sentiments. Il pouvait imaginer ce que Steven Lazare avait pu vivre au cours des 30 dernières années. Il avait probablement toujours ressenti un certain appétit en n'ayant aucune idée envers quoi. Thane pouvait le voir être emballé à l'école puis dans sa carrière de policier en grimpant dans la hiérarchie, toujours motivé et concentré sans jamais se sentir satisfait.

Jusqu'à ce qu'il tombe sur Siobhan et sa magie noire et pure.

Siobhan prit la parole.

— Est-ce que quelqu'un pourrait m'expliquer… Je veux dire, que se passe-t-il, pour l'amour…

Un bourdonnement de faible fréquence se fit entendre à l'extérieur suivi d'un bruit de verre brisé. Puis, le tout se répéta. Tous trois se turent, leurs six oreilles ouvertes bien grandes. *Bzzzz-cling. Bzzzz-cling.*

Tout redevint calme après le quatrième bruit. Une seconde plus tard, leur propre électricité fut coupée, les plongeant dans l'obscurité.

Thane demeura immobile, ses yeux vif-argent luisant dans le noir, sa propre silhouette vêtue de noir se fondant dans l'obscurité. Il écouta. Il ouvrit ses antennes dans toutes les directions. La noirceur plus intense derrière les rideaux permettait de comprendre que les lampadaires s'étaient éteints, et pas de la manière la plus douce qui soit. Quelque chose avait coupé le courant dans la majeure partie du voisinage.

Posté à côté de la porte, Steven Lazare tendit les mains vers les armes à feu qu'il aurait normalement eues dans un étui double sur les côtés de son corps en tant que détective, mais elles n'étaient bien sûr plus à leur place.

De l'autre côté de la salle de séjour, la magie de Siobhan réagissait encore une fois à sa nouvelle crainte, réchauffant ses paumes et les illuminant de l'intérieur. Le vent se leva à l'extérieur et les épines des rosiers vinrent grincer le long des carreaux. Personne ne parla.

Puis, les yeux rouges de Steven s'illuminèrent, semblables à des fusées de signalisation dans l'ombre.

— C'est lui, annonça-t-il doucement. Il est revenu.

— Lui? chuchota Siobhan. Qui ça, lui? Le démon?

— L'Akyri, dit Thane en confirmant ses craintes.

Elle leva les yeux vers lui et il put sentir ses yeux devenir brillants, s'illuminant jusqu'à ce qu'ils luisent dans son visage. Il savait l'apparence que cette illumination lui donnait : étrange, saisissante et surnaturelle. Il ne voulait pas l'effrayer, mais ce n'était pas sa pire inquiétude en ce moment.

— Je n'y crois pas, chuchota-t-il.

— Quoi? demanda Steven, son propre chuchotement discordant dans l'obscurité.

— Ce n'est pas n'importe quel Akyri.

Il pouvait ressentir la signature de l'intrus tout comme il pouvait ressentir l'aura de n'importe quelle créature surnaturelle. Elle était changeante et irrégulière, et remplie du vert et du rouge de l'envie et de la luxure. Il la reconnaîtrait n'importe où.

— C'est le roi Akyri, indiqua-t-il.

Ses canines s'étaient allongées de nouveau. Il aurait normalement regretté d'avoir gaspillé sur Lazare la magie qu'il avait volée plus tôt. La capacité de « voler de la magie » en était une qu'il partageait avec les Akyri et quelques autres créatures surnaturelles. En tant que véritable « fantôme », il était immunisé contre tous les effets directs de la magie, mais s'il tentait le coup, il pouvait capturer ce qui était envoyé vers lui et le conserver pour un usage ultérieur.

Il avait utilisé ce qu'il avait conservé de la décharge de Siobhan sur le détective et était maintenant dépourvu d'une arme qui aurait eu des conséquences sur la plupart des créatures. Cela n'importait toutefois pas dans le cas présent, car Marius était un Akyri et qu'il absorberait lui aussi n'importe quelle magie utilisée contre lui.

— Un autre roi? chuchota Siobhan.

Son ton de voix était à la hausse, comme s'il s'approchait de celui associé à une crise de crise de nerfs.

— Ce n'est donc pas seulement un démon qui veut me manger, n'est-ce pas? Mais *le roi* des démons?

Le ton s'approchait définitivement de la crise de nerfs.

Il devait partir d'ici. C'était la solution logique. Marius était ici pour elle, et Lazare pouvait certainement prendre soin de lui-même. En fait, il y avait quelque chose de plus à propos de Steven Lazare, quelque chose que Thane ne pouvait pas identifier. Il était seulement à moitié Akyri et il semblait tout de même posséder encore plus de pouvoir que la presque totalité des Akyri qu'il avait jamais rencontrés.

C'était une énigme qu'il serait préférable de résoudre à une date ultérieure.

— Siobhan, venez avec moi, chuchota Thane en se tournant vers elle et en lui tendant la main.

Elle le regarda avec de grands yeux lumineux puis elle baissa son regard vers sa main avant de remonter vers ses yeux. Sa bouche s'ouvrit. Puis, elle se ferma.

— C'est le seul moyen, femme-sorcier. Nous n'avons aucune chance contre quelqu'un comme Marius. Pas ici, pas maintenant.

— Vous êtes là, dit une voix totalement nouvelle, mais une autre voix que Thane reconnut immédiatement.

Il se retourna en vitesse tandis que l'air bougeait derrière lui et qu'un portail s'ouvrait. Jason Alberich, le roi des sorciers, en sortit une demi-seconde plus tard.

— Alberich! s'exclama Thane en essayant de conserver un ton de voix calme, mais n'y parvenant pas en raison de l'effet de surprise.

— Elle est des miennes, Thane, expliqua-t-il.

Le regard du grand roi blond aux yeux verts passa de Thane à Siobhan.

— Qu'elle le sache ou non.

Roman avait raison, pensa Thane. Le roi des sorciers avait fait beaucoup de progrès.

Il y avait seulement un certain nombre de sorciers dans le monde, 1000 au maximum. Leur magie était sombre, mais elle était puissante, et une nation composée de 1000 sorciers était certainement un royaume puissant. En tant que roi, Jason Alberich avait hérité de la capacité de détecter un sorcier n'importe où sur la planète. Il suffisait que la magie noire soit utilisée pour ce à quoi elle était destinée, faire du *mal*, pour que Jason soit au courant de l'existence de son utilisateur et sache où le trouver.

Lorsque Siobhan avait attaqué Thane, même en mode autodéfense, la magie qu'elle avait conservée tout sa vie avait finalement été utilisée pour ce à quoi elle était prévue, informant Jason de ce qu'elle était. Le fait qu'elle l'ait utilisée en mode autodéfense avait sans doute déclenché les instincts protecteurs de Jason, le faisait apparaître ici maintenant. Comme c'était également le cas pour la plupart des rois à leur table, Alberich prenait au sérieux les responsabilités qu'il avait envers son peuple. Thane était impressionné.

— Sortez-la d'ici, ordonna Jason en désignant Siobhan d'un signe de la tête; elle les fixait maintenant tous trois du regard en état de choc.

S'ils survivaient, Thane aurait beaucoup d'explications à lui donner.

— Vous n'avez pas à me le dire deux fois, murmura-t-il en marchant à grands pas vers Siobhan.

Elle recula instinctivement, mais la main de Thane se retrouva fermée autour de son poignet avant qu'elle ne complète son mouvement.

— Nous devons partir, lui dit-il fermement. *Maintenant.*

La foudre déchira le ciel à l'extérieur. Une seconde plus tard, les fenêtres le long du mur est de la maison éclatèrent vers l'intérieur avec une force énorme. Le son était assourdissant et donna au monde une impression surréaliste lorsque Thane tira Siobhan sur le côté avec une vitesse surhumaine en se penchant ensuite au-dessus d'elle. Le verre fut pulvérisé à travers la salle de séjour, suivi de près par la vague de force qui l'avait tout d'abord brisé. Des milliers de minuscules tessons vinrent frapper tout ce qui se trouvait à l'intérieur ; Thane les sentit couper sa veste en cuir comme du papier de verre diabolique. Son emprise sur Siobhan se resserra et il se pencha davantage lorsque la décharge de pouvoir vint le frapper, le faisant balancer vers l'avant et déferlant sur lui, sombre, chaude et maléfique.

C'était ce à quoi la magie noire ressemblait quand elle était poussée à sa limite. C'était la différence entre quelqu'un comme Marius et quelqu'un comme Siobhan. Une bonne femme-sorcier, un mauvais sorcier, la différence entre leurs magies respectives tangible sur un mode élémentaire. Bien que la magie de Marius glissait sur Thane et n'avait pas d'effet réel sur lui, il pouvait ressentir les dégâts potentiels en elle et n'avait jamais été plus reconnaissant envers son immunité qu'il ne l'était en ce moment, d'autant plus qu'il protégeait la femme dans ses bras.

Le temps ralentit pour lui, malgré la poussée mouvementée dans la réalité. Dans cet espace de secondes allongées, alors qu'une fournaise de verre et de magie déferlait sur lui, Thane se retrouva béatement distrait. Elle était chaude à l'endroit où son dos s'appuyait contre sa poitrine. Elle avait un parfum de roses, de terreau d'empotage et d'un soupçon de lotion. La peau de ses bras était si douce contre ses biceps qu'elle ressemblait à du satin et la courbe de ses hanches sous ses paumes entraînait ses doigts à se refermer pour ne pas qu'elle glisse.

Puis, le verre glissa sur le plancher et quelqu'un le poussait sur le côté, et il se retourna en prenant Siobhan avec lui tandis que Jason Alberich levait ses bras et commençait à jeter un sort. Il y eut un flash de lumière rouge, et Steven Lazare se retourna sur la gauche de Jason pour faire face à l'Akyri qui venait de se matérialiser à côté de lui. Un autre flash de lumière, puis un autre, puis les laquais Akyri de Marius remplirent la salle de séjour.

Le sort prononcé à la hâte par Jason commença à occuper la pièce en produisant un bruit de succion.

— Prenez-la et partez ! beugla le roi des sorciers, et Thane passa à l'action sans réfléchir, retournant Siobhan et la poussant dans le seul espace libre de verre sur les planches du plancher derrière le canapé.

Il la suivit et ouvrit un portail en dessous d'elle.

Son cri de surprise parvint à ses oreilles en flottant vers le haut alors qu'au lieu de tomber sur le bois et de s'agripper comme elle avait eu l'intention de le faire, elle continua à tomber.

Et à tomber.

Jusqu'à ce que le lit de Thane rebondisse en dessous d'elle, absorbant l'impact et la réduisant au silence sous l'effet du choc. Thane tomba sur le lit à côté d'elle, un bras puissant drapé par-dessus son corps et l'autre positionné de manière experte pour contenir la majeure partie de son poids.

Des draps blancs s'enroulèrent autour des jambes de Siobhan tandis qu'elle se redressait sur ses bras, prenait note de son environnement avec de grands yeux bruns et se retournait dans le lit pour ensuite tenter de se redresser très rapidement en position assise.

Sa chemise et la bretelle de son soutien-gorge avaient toutes deux glissé, exposant la longue étendue crème allant de sa gorge à son épaule.

L'instinct de Thane dressa sa tête semblable à celle d'un dragon, le pressant à la repousser sur le lit, à glisser son corps sur le sien et à faire tout ce qu'il fallait pour l'y maintenir. C'était une force inattendue et puissante, et il dut déployer de très grands efforts pour ne pas agir comme elle lui commandait de le faire.

Il n'était pas étranger aux histoires d'un soir, mais aucune femme n'était jamais venue dans ce lit auparavant. Pas *son* lit, pas *ce* lit. Par le diable, il n'avait jamais emmené une femme dans son *royaume* auparavant. Et maintenant, de voir Siobhan avec ses magnifiques cheveux roux défaits, de l'entendre prendre de douces et rapides respirations, de ressentir sa chaleur et sa douceur à quelques centimètres de lui sur ses draps et ses oreillers produisaient un étrange effet sur lui.

L'effet était un peu contrariant.

Siobhan leva les yeux vers lui depuis l'endroit où elle s'était assise, à 15 centimètres de lui. Une mèche de cheveux était tombée sur le devant de son visage et elle bougeait avec chaque respiration effrayée qu'elle prenait.

— Où suis-je ? demanda-t-elle d'une voix tremblante. Qu'avez-vous fait ?

Elle se redressa encore plus en position assise et tenta de s'éloigner rapidement de lui, mais ses draps jouaient un tour à ses jambes.

— Où suis-je? répéta-t-elle avec plus de force.

Thane hésita un moment, ne voulant absolument pas quitter le lit. Il était cependant un homme et non un adolescent, alors il calma ses hormones et prit une longue inspiration relaxante.

Il pensa au roi des sorciers et à Steven Lazare; et à Marius. Il pouvait ralentir le temps ici dans son plan, mais pas indéfiniment. Il était bien conscient qu'il allait devoir revenir très bientôt. Il doutait que Marius puisse vaincre Jason Alberich, et Lazare n'était pas en danger puisqu'il était un Akyri et qu'il savait très bien comment se battre, mais il savait aussi qu'il y aurait un ménage à faire. Et Roman D'Angelo devrait savoir ce qui se passait. Le conseil tout entier des Treize rois devrait se réunir.

Enfin… le conseil tout entier des *Douze*.

Thane se releva lentement dans le lit et le quitta, puis il baissa les yeux vers Siobhan et la regarda pendant un long moment, observant chaque détail à propos de la femme aux cheveux auburn désordonnés adepte de la magie noire et mémorisant le tout pour plus tard, avant de tendre à nouveau la main vers elle.

— Vous êtes dans mon lit, lui dit-il sans détour.

Lorsqu'il fut manifestement évident en raison de son regard furieux aux étincelles dorées et ses dents blanches serrées que ce n'était pas ce qu'elle avait voulu dire, il se permit de sourire.

— Vous êtes au purgatoire, continua-t-il. Bienvenue dans mon monde.

CHAPITRE 15

Le purgatoire…

Siobhan leva les yeux vers lui puis regarda ensuite la pièce autour et le lit en dessous d'elle et tenta de toutes ses forces de dégager un sens du fantasme qui était devenu sa vie.

Moins d'une heure plus tôt, elle s'était retrouvée dehors à jardiner au soleil, puis elle avait chuté à travers le plancher pour se retrouver sur le lit doux, chaud et parfumé à la lotion après-rasage d'un étranger incroyablement grand, sombre et séduisant qui était apparemment un fantôme et un *roi*, et le lit était apparemment dans sa *chambre à coucher* dans un autre plan, et ce plan était apparemment nommé le purgatoire.

Et elle était plutôt convaincue qu'un lapin blanc l'avait précédée dans ce trou.

Elle déglutit en déployant un certain effort, et cette action difficile fut nettement audible dans ce nouveau calme. Elle fixa des yeux la main qui lui était offerte puis leva de nouveau son regard vers ses yeux. Le tourbillonnement vif-argent de ses yeux était posément fixé sur elle avec enthousiasme, absorbant tout comme toujours.

— Est-ce que je suis morte ? demanda-t-elle.

Le purgatoire était cet endroit où les gens allaient à leur décès, n'est-ce pas ? N'avait-elle pas entendu quelque chose à ce propos à un certain moment ? N'était-ce pas quelque chose ressemblant à l'enfer, mais à un degré moindre ?

— Non, Siobhan, dit-il doucement.

Son nom sur sa langue ressemblait à une bénédiction. À une malédiction. Du genre qu'elle voudrait réentendre.

— Vous n'êtes pas morte, continua-t-il. Vous êtes en sécurité ici.

Il ne retira pas sa main. En fait, il se pencha un peu vers l'avant.

— Venez avec moi, et je vous montrerai.

Elle hésita, sa main se déplaçant nerveusement au-dessus du drap qui s'était entouré autour de sa jambe droite.

Il sourit en lui montrant ses dents. Ses canines avaient retraité une fois de plus.

Et elle fut choquée de constater qu'elle était presque déçue.

— Siobhan, l'interpella-t-il en exauçant son vœu secret de prononcer à nouveau son nom. Prenez ma main et laissez-moi vous aider à quitter mon lit… à moins que vous préfériez que je me joigne de nouveau à vous.

Les yeux de Siobhan s'agrandirent et son visage s'empourpra aussitôt. Son expression faciale était indécente et son grand sourire était chaud comme l'enfer. La main de Siobhan claqua sur la sienne et ses doigts puissants se refermèrent sur sa main, la coinçant dans une prise ferme.

— Bonne fille, dit-il en la taquinant doucement.

Il se pencha au-dessus du lit et se servit de son autre main pour retirer les draps de ses jambes, la libérant de leur étreinte emmêlée.

Elle se leva en vitesse, puis elle vacilla lentement. Ses jambes étaient instables.

— Accordez-leur quelques secondes, indiqua-t-il. Les voyages entre les royaumes peuvent désorienter les mortels.

Siobhan sentit que son cœur venait d'avoir un battement irrégulier. *Les mortels*, pensa-t-elle. Elle ne s'était jamais imaginée comme étant une « mortelle » auparavant. Elle s'était davantage considérée comme étant seulement *différente*. Elle était une utilisatrice de la magie, quelqu'un avec un don sombre. Quelqu'un de *spécial*. Voilà qu'elle se frottait maintenant à des rois apparemment immortels, Akyri et quoi d'autre? Et elle était passée du sommet de la hiérarchie surnaturelle au point le plus bas ou à peu près. Et *ça,* c'était désorientant.

— Ça va, l'assura-t-elle en retirant sa main de la sienne.

Elle dut déployer un certain effort, car il ne voulait pas la libérer. Et elle ne voulait pas qu'il le fasse. C'était deux combats contre un. Mais à la fin, elle fut libérée et elle glissa ses mains sur ses jeans dans une tentative peu enthousiaste d'en retirer les plis.

— Puis-je vous offrir quelque chose à boire? demanda-t-il soudainement. Siobhan leva les yeux vers lui. Il l'observait attentivement, l'air préoccupé.

Elle secoua sa tête.

— Non, merci.

Puis, elle lui posa une question.

— Quel âge avez-vous, Thanatos?

— Je vous en prie, insista-t-il en esquissant un petit sourire. Appelez-moi Thane. Les autres rois m'appellent Thanatos.

Il détourna le regard, semblant mal à l'aise pendant un moment.

— Ainsi que les Anime, termina-t-il avant de poser de nouveau son regard sur elle.

— D'accord, acquiesça-t-elle. Thane.

Elle déglutit, rassembla son courage et lui posa une autre question.

— Qu'êtes-vous ?

La chambre, que Siobhan n'avait pas encore eu la chance d'observer dans tous ses détails, devint silencieuse. Les yeux de Thane se plissèrent et le vif-argent en eux s'intensifia.

— Que voulez-vous dire ?

— Je veux dire, commença-t-elle lentement. Vous dites que Steven est un Akyri. Et je sais que je suis une femme-sorcier. Vous êtes censé être le roi des fantômes. Ça, c'est quoi ?

— Ce n'est pas un quoi, contra-t-il en secouant sa tête. C'est un qui. Et je crains de ne pas pouvoir faire de comparaison avec qui que ce soit, car il n'y en a qu'un comme moi.

Cette affirmation ne lui révéla absolument rien et son expression faciale devait être révélatrice à ce sujet, car Thane recula d'un pas et désigna d'un geste la porte de la chambre à coucher.

— Venez avec moi, et je vous le montrerai.

L'espace qu'il libéra soudainement entre eux donna à Siobhan l'occasion de respirer. Quand il était près d'elle, il était irrésistible, englobait tout et obtenait chaque seconde de son attention. Elle se trouvait maintenant en mesure de regarder autour d'elle et de contempler son environnement.

La chambre était pittoresque, les murs et le plancher en bois dur peint en blanc. Le plancher était éraflé par ce qui semblait être des passages répétés de bottes au fil des années, mais il était impeccablement propre. Il n'y avait aucune décoration accrochée au mur et seulement trois meubles : une petite table de nuit surmontée d'un bol en étain et de quelques autres objets, un grand coffre en bois orné de cuir et le lit couvert d'une literie blanche fraîchement lavée. Une fenêtre unique se trouvait sur sa gauche. Elle était ouverte et une douce brise entrait dans la chambre à travers de fins rideaux blancs. Un vase transparent était posé sur le rebord de la fenêtre et contenait trois pâquerettes parfaites et la moitié d'une tasse d'eau.

C'était paisible. Calme, un peu reclus, mais paisible.

Thane lui donna le temps de regarder son environnement, comme s'il avait su qu'elle avait besoin de retrouver ses repères ou peut-être parce qu'il était simplement un gentleman sous son apparence grossière. Mais lorsqu'elle leva de nouveau ses yeux vers son visage, elle remarqua que ceux de Thane étaient très pâles et presque rayonnants de nouveau, et que sa mâchoire était tendue.

Il semblait distrait, impatient et peut-être même avoir mal.

— Est-ce que vous allez bien ? demanda-t-elle, soudainement sur ses gardes.

Il s'accorda un moment pour répondre. Lorsqu'il le fit enfin, il dut précéder sa réponse par une longue inspiration. Ce n'était pas bon signe.

— Ce royaume est la demeure des Animes, commença-t-il. Ce sont les esprits des gens qui ont connu des morts injustifiées.

Il fit une pause.

— Il y a sept milliards d'humains sur la planète en ce moment et les homicides sont endémiques.

Siobhan absorba cette affirmation pendant que son esprit en considérait les implications.

— Au cours de la dernière heure, plus d'âmes sont venues frapper à ma porte que je ne voudrais le compter, expliqua-t-il. Ils attendent. Et je ne suis pas sûr de pouvoir remettre mon travail à plus tard encore longtemps.

Elle le fixa du regard. Sa grande silhouette, son visage sombre, sa beauté incroyable, puis elle pensa à ce que son « travail » devait impliquer. S'il était le roi de ce lieu, le purgatoire, et qu'il devait s'occuper de toutes ces âmes qui avaient connu des morts injustifiées… Elle pouvait à peine imaginer une pire profession. Il n'en existait sans doute pas de plus solitaire.

— Vous devez vous occuper de chacune de ces âmes ? demanda-t-elle tranquillement.

Ses yeux le confirmèrent.

— De chacune d'elles.

* * *

Il pouvait bien comprendre son silence du moment. Elle avait vécu beaucoup de choses dans le courant de l'après-midi, mais ces derniers détails étaient certainement hallucinants. Il était en fait très impressionné par la manière avec laquelle elle les gérait.

Il ne s'en tirait pas aussi bien de son côté. Il y avait trop de guerres, trop de choses à propos desquelles les gens étaient prêts à se battre. La race humaine était aussi diverse que n'importe quelle espèce qu'il n'avait jamais pu connaître et les humains étaient néanmoins les moins bien outillés pour gérer cette diversité. Ils ne pouvaient simplement pas accepter les différences. Ils se servaient plutôt de ces différences pour valider leur haine.

Le résultat était profondément et astronomiquement triste. Et il devait s'en occuper maintenant ; il ne pouvait simplement pas attendre plus longtemps.

— Venez avec moi, lui dit-il en lui tendant de nouveau la main. Je vais vous le montrer.

Cette fois-ci, il pria pour qu'elle la prenne, tout simplement. Il pria en faveur de cela avec toute sa force, parce qu'il se sentait démuni en ce moment, impuissant et perdu, et il voulait sentir son contact plus que quoi que ce soit dans le monde. Il ne pouvait pas l'expliquer. C'était seulement ce dont il avait le plus envie ; plus encore que l'air dont il avait besoin pour respirer.

Tel un miracle ou une bénédiction, Siobhan baissa les yeux vers sa main et y glissa la sienne. Elle était si petite, si délicate en apparence dans la force contenue de sa poigne. Elle n'avait aucune idée de qui elle touchait, de la mortalité dont il avait été témoin, des batailles qu'il avait livrées, de la connaissance qu'il possédait. Et cette innocence propulsa sa propre beauté à un autre niveau. Elle avait été un ange inimaginable à ses yeux, assez forte et assez bonne d'une façon ou d'une autre pour se battre contre la traction de la magie noire pendant toute sa vie. Mais maintenant ?

Maintenant, elle ne se sentait pas de taille.

C'était ce qui avait fait en sorte que ses doigts se referment sur les siens et que sa poigne se resserre avant qu'il se tourne vers la porte et la mène dans le corridor.

Il pouvait laisser les esprits errer n'importe où, mais personne n'avait jamais vu l'intérieur de sa maison. Personne sauf Siobhan. Il ne voulait pas changer ça maintenant. Pour quelque raison que ce soit, le fait d'avoir partagé cette petite chose avec une femme-sorcier qu'il venait à peine de rencontrer était important pour lui.

Il la fit donc passer par sa petite cuisine, propre et à peine utilisée pour autre chose que du café, avant de franchir la porte menant à son garage attenant. Ses bottes produisirent un son creux tandis qu'il descendait les trois marches jusqu'au plancher de ciment de l'espace caverneux. Il entendit Siobhan hésiter derrière lui ; le garage était sombre et elle ne savait pas à quoi s'attendre.

Il se pencha et actionna un interrupteur, attendant ensuite que les gros luminaires s'allument un par un à 15 mètres dans les airs. Un long et robuste toit de tôle protégeait le garage du soleil et du vent. L'espace intérieur était frais, calme et apparemment infini.

Ce n'était pas tant un garage qu'un hangar. Il y avait des murs en aluminium qu'il pouvait descendre pour fermer des sections de l'endroit à l'occasion s'il le voulait, mais ils étaient tous ouverts en ce moment, et ce qui s'y trouvait s'étirait sur une bonne distance.

Il demeura immobile à apprécier la vue comme chaque fois qu'il entrait dans son garage.

Il se rendit ensuite compte que la femme derrière lui faisait la même chose. Il se retourna pour la regarder. Ses beaux yeux brun clair étaient grands et ses lèvres entrouvertes. Puis, il entendit le juron le plus doux qu'il avait jamais entendu murmurer provenant de quelque part bien loin en elle.

Il sourit. Il était fier de son garage.

— *Sainte... mère,* murmura-t-elle en descendant les marches comme un zombie.

Elle se déplaça autour de lui comme si elle était dans un rêve.

— Vous avez... vous avez... une Mercedes-Benz 540 K?

Thane cligna des yeux. Comment le savait-elle?

— Et une Maserati 3500 GT! s'exclama-t-elle doucement. Oh mon Dieu, vous avez une BMW 327 coupé sport! Thane, ces voitures valent une *fortune*! Ce sont des pièces de collection! Et elles sont...

Sa voix se tut graduellement tandis qu'elle se déplaçait dans le garage dans un état d'étonnement.

Il commençait lui-même à se sentir glisser dans ce même état.

— Elles sont toutes *parfaites,* murmura-t-elle.

Sa main se tendit comme si elle voulait toucher la voiture la plus près, une imposante bête de blanc vêtu des années 1940, mais elle demeura à quelques centimètres au-dessus de la peinture comme si d'y toucher ruinerait l'illusion.

— Et le lustre de la peinture. Jésus, vous avez une Delahaye 1948 175 coupé de ville, chuchota-t-elle en secouant sa tête. J'ai toujours voulu en trouver une pour la réparer.

Thane était certain d'être encore plus abasourdi qu'elle ne l'était en demeurant là à regarder la jeune femme-sorcier progresser dans son garage. Pendant toutes ces années, il n'avait jamais rencontré personne qui en savait autant que lui à propos de ces voitures. Pas avant aujourd'hui.

L'étonnement qu'il voyait sur son visage était stupéfiant. Elle s'était déplacée entre les véhicules aux finis satinés jusqu'à un endroit plus sombre au-delà lorsqu'il l'entendit haleter.

— Merde alors, une Brough Superior SS100 !

Thane eut le souffle coupé et son pouls s'accéléra. Il se déplaça dans le garage pour la rejoindre. Elle regardait une moto des années 1940 avec une fascination absolue.

— Cette chose a au moins 80 ans et elle vaut un quart de million de dollars, dit-elle en retenant son souffle. Je n'arrive pas à croire que j'en regarde une et je jure devant Dieu qu'elle est en parfaite condition.

Elle parvint à retirer son regard de la moto pour lever les yeux vers lui.

— Est-ce que vous avez déjà conduit cette moto ?

Thane eut besoin d'un moment pour trouver les mots à dire. Il avait plusieurs dizaines de motos dans ce garage, tant des motos sport que des routières. Elles étaient alignées comme des soldats chromés et chacune était unique en son genre. La Brough Superior était cependant sa moto favorite et elle l'avait remarquée dans le lot en quelques secondes. Juste comme ça. Est-ce qu'il avait déjà conduit cette moto ? Merde alors, tellement de fois.

Voudriez-vous aller faire un tour ? était la question qu'il voulait lui poser.

Les esprits frappaient cependant sans cesse sur sa porte et leurs obscurités variées s'accumulaient comme un cumulo-nimbus.

Thane n'avait jamais détesté son travail avant ce moment précis. De faire ce qu'il avait à faire ne l'avait jamais vraiment dérangé. Ça avait été une existence déprimante et interminable, et d'être de plus en plus occupé à mesure que les siècles défilaient le troublait. Il n'en avait jamais toutefois voulu à son travail jusqu'à maintenant.

Son devoir en tant que roi des fantômes faisait obstacle à quelque chose qu'il voulait, et la situation devint soudainement presque insupportable.

Thane arracha son regard de Siobhan au prix de grands efforts et il se retourna pour glisser une main dans son épaisse chevelure noire.

— Oui, lui dit-il sans éclat. Je l'ai fait.

Elle demeura silencieuse derrière lui, sans doute étonnée par la brièveté de sa réponse. Il voulut s'en mordre les doigts. Littéralement. Il n'avait cependant pas le temps pour ça.

— Voici ce que je voulais vous montrer, interposa-t-il en goûtant l'amertume de ses propres paroles.

Il leva sa main en direction de l'obscurité à l'extrémité éloignée du garage et il ouvrit la porte.

L'air vacilla et l'obscurité adopta une pâleur plus grise tandis qu'une fracture éclatait dans le tissu de l'espace et du temps. Une personne se matérialisa dans cette obscurité, un homme d'un certain âge à la peau parcheminée, aux cheveux raides et aux vêtements en toile. Il avait la mine sévère, comme tant d'autres avant lui et sans doute tant d'autres à venir.

Comme s'il était venu au monde en sachant exactement quoi faire quand viendrait le temps, l'homme marcha vers l'avant, semblant planer dans les airs à quelques verges des véhicules.

— Couvrez vos oreilles, dit Thane à Siobhan.

Il la vit obéir à l'aide de sa vision périphérique, ses paumes appuyées juste à temps sur ses oreilles, au moment où le portail commençait à se refermer une fois de plus derrière l'esprit de l'homme. Il claqua derrière lui en remplissant l'air du son du tonnerre.

— Où suis-je? demanda-t-il d'une voix tremblante dans sa propre langue.

Thane ne se serait pas donné la peine de les traduire, mais puisqu'il voulait que Siobhan comprenne ce qu'il faisait, le roi des fantômes permis aux mots de changer. Ils étaient prononcés dans une langue et entendus dans une autre.

— Vous êtes au purgatoire, indiqua-t-il à l'esprit, utilisant des termes culturels et des synonymes avec lesquels l'homme serait familier.

— Pourquoi suis-je ici? demanda-t-il ensuite.

Siobhan s'avança à côté de lui avant que Thane ne puisse faire ce qu'il faisait toujours dans ces cas-là, soit d'expliquer la situation au nouvel Anime.

— Vous tentiez de protéger votre fils, n'est-ce pas? demanda-t-elle tranquillement.

Les yeux de l'homme s'agrandirent et la douleur dans son expression faciale s'approfondit.

— Oui! s'écria-t-il dans un demi-sanglot. Mon petit garçon…

Un autre sanglot s'échappa et la douleur de l'homme devint palpable.

— Oh mon Dieu, mon fils. Mon fils précieux.

— Une voiture piégée a explosé, dit Siobhan, sa voix distante et quelque peu engourdie.

Elle continua ainsi, comme si elle devait expliquer la situation à Thane, qui avait fait cela pendant des siècles.

— Son fils était coincé dans l'édifice juste à côté. Il est entré pour le sauver et a reçu une balle dans le dos.

Thane la regarda, fortement secoué. Comment avait-elle pu savoir ça ? Comment *diable* avait-elle pu savoir tout ça ?

— Oui, souffla l'homme, son corps entier tremblant avec émotion.

Il regarda Siobhan avec autant d'étonnement que Thane devait en laisser voir.

— Il n'est pas ici, indiqua Siobhan. Il n'est pas venu ici, ce qui signifie qu'il a survécu.

Thane sentit maintenant l'air être expulsé de ses poumons. *Par le diable !* Il était *impossible* qu'elle le sache avec certitude ! Il venait tout juste de laisser entrer les esprits dans le purgatoire ; c'était le premier d'entre eux et il était suivi d'au moins trois dizaines d'autres. Comment pouvait-elle savoir que le fils de cet homme n'était pas parmi eux ?

À moins que…

Je le sais, n'est-ce pas ?

Il *le savait* en effet. En tant que roi des fantômes, il savait tout ce qu'il était essentiel de savoir quand il était question des Animes. Personne d'autre ne possédait cette connaissance inhérente à part le souverain du royaume, à part le roi de ce royaume vaste et désolé.

Les paroles que Roman D'Angelo avait prononcées au conseil des rois quand il leur avait fait part de la vision de Lalura Chantelle flottaient maintenant dans l'esprit de Thane.

Il y avait 13 rois sur l'échiquier. Et 13 reines.

Un monde de compréhension profonde semblait passer de l'esprit à Siobhan, un flot silencieux d'empathie, de sympathie et de quelque chose d'intangible encore plus important que toute la richesse de l'Univers. Puis, l'homme souleva ses mains, paumes vers le haut, et il la remercia avec toute la gratitude de son cœur.

Il recula et le portail qui s'était fermé derrière lui se rouvrit. Il avait l'impression de revoir ce qui s'était passé avec Steven Lazare, sauf que cette fois-ci, il n'y avait aucune magie noire étincelante autour de l'esprit et Thane savait qu'il ne retournerait pas sur la Terre. Il s'en allait, tout simplement. Il ne resterait pas au purgatoire. Il n'y avait aucun besoin en ce sens.

Il lâchait prise grâce à Siobhan, à la compréhension dont elle avait fait preuve et à l'assurance qu'elle lui avait donnée. Grâce à elle, un esprit allait pouvoir trouver le repos.

Le fantôme de l'homme disparut dans le portail qui se referma une fois de plus. Siobhan posa ses mains sur ses oreilles tandis que le tonnerre retentissait dans le garage, comme si elle l'avait fait 1000 fois et qu'elle n'avait plus besoin qu'on l'avertisse.

Elle baissa ses mains de nouveau quelques secondes plus tard, mais ses yeux demeurèrent concentrés sur l'espace vide où s'était trouvé l'esprit. Thane baissa les yeux vers elle, son monde tout entier incliné sur son axe. Il n'avait jamais rien vu de plus miraculeux que ce dont il venait d'être témoin. Il n'avait jamais rien vu de si beau.

Puis-je vous garder ? Les mots filèrent à toute allure dans son esprit, une pensée, et une obsession presque indéniable.

Vous garder.

Siobhan cligna finalement des yeux et se retourna lentement pour ensuite lever les yeux vers lui.

— Je ne comprends pas ce qui vient tout juste de se passer, avoua-t-elle. Je veux dire, je sais ce que j'ai fait. Je le *sais*... profondément en moi.

Elle cligna de nouveau des yeux puis appuya sa main contre son cœur avant de baisser son regard vers le sol.

— Mais je ne sais pas pourquoi ni comment.

Ses yeux revinrent vers lui.

— Que se passe-t-il, Thane ?

Il aurait probablement pu lui dire 100 choses différentes à ce moment précis, mais seulement l'une d'entre elles semblait convenir.

— Pensez-vous que vous pourriez le refaire ?

Les yeux d'un brun doré de Siobhan luisirent, leur profondeur semblant naître à la vie dans un tourbillon de compréhension. Quelques secondes passèrent et elle hocha la tête à une seule reprise.

Puis, Thane se retourna pour laisser entrer le prochain esprit.

CHAPITRE 16

La journée s'était déroulée comme un rêve impossible. Elle l'avait commencée dans la crainte et l'incertitude, décidant de vivre son existence quotidienne en s'adonnant à des tâches ordinaires de jardinage et de nettoyage, et pensant peut-être y ajouter un peu de magie de bas niveau pour réparer quelques horloges entreposées dans une pièce à l'arrière. Elle ne s'était jamais imaginé qu'elle se retrouverait face à face avec un être comme le roi des fantômes avant le coucher du soleil.

Et jamais dans 1000 ans n'aurait-elle pu prévoir tout ce qui s'était passé par la suite : la révélation selon laquelle Steven était un Akyri, l'attaque du roi Akyri contre sa maison, le passage dans le portail menant au monde étrange et solitaire de Thane et finalement les interactions déchirantes avec les esprits morts de façons injustifiées avec lesquels il devait traiter jour après jour. Ça changeait la donne. Ça changeait la vie. C'était si incroyablement bizarre et extraordinaire qu'il n'y avait pas de mots pour le décrire correctement.

Et maintenant, 37 esprits plus tard, Siobhan s'appuya sur la rutilante Rolls-Royce Phantom noire de Thane, se sentant mélancolique, mais étrangement satisfaite. Elle était épuisée, mais d'une bonne façon.

— Tenez, buvez cela, l'intima-t-il une voix grave et merveilleuse.

Siobhan leva les yeux pour voir le roi des fantômes à côté d'elle, deux bières froides à la main. Il venait tout juste de revenir de sa cuisine, et la bouteille était givrée et décapsulée. Aucune boisson n'avait jamais eu l'air aussi invitante dans toute la vie de Siobhan.

Il lui tendit une bière.

Elle prit la bouteille et la porta immédiatement à ses lèvres. La bière était si froide et si rafraîchissante qu'elle ferma les yeux lorsque le liquide glissa sur sa langue jusque dans sa gorge. C'était doux, délicieux, revigorant. Elle but plusieurs longues gorgées avant de finalement abaisser la bouteille à moitié vide.

Elle ouvrit ensuite ses yeux et vit que Thane la regardait en souriant, ses yeux argentés brillant d'amusement.

— J'aime une fille qui peut descendre sa bière.

Thane alla s'appuyer contre la voiture à côté d'elle.

— Une Rolls-Royce Phantom, le taquina-t-elle. Vous le faites exprès?

Il rit sous cape et le son fut véritablement délicieux. Elle but une longue gorgée de sa bière pour dissimuler le fait que son visage s'empourprait en réaction à sa présence et à la glorieuse et profonde vibration de sa voix.

— C'est seulement une voiture que j'aime, admit-il avec un beau grand sourire.

Ils partagèrent ensuite un long silence, chacun buvant dans sa propre bouteille, Siobhan se cachant plus ou moins derrière la sienne.

Lorsqu'elle retrouva enfin l'assurance de parler de nouveau, elle lui posa une question.

— Où vont-ils ?

— Les Animes ? demanda Thane.

Elle hocha la tête.

Il inclina sa tête sur un côté en l'examinant pendant un moment.

— Je vais vous le montrer.

Il se redressa et s'éloigna de la voiture, marchant vers la porte du garage. Elle était grande et métallique, et il faudrait sans doute beaucoup de muscles pour la déplacer.

Le roi des fantômes déposa sa bière sur une plateforme de travail contre le mur à sa gauche et retira sa veste de cuir. Siobhan avala sa salive avec difficulté et sentit que son ventre commençait à se réchauffer.

Sainte Marie, ayez pitié…

Il était la perfection incarnée. Chaque courbe bien dure de son corps semblait avoir été taillée dans la pierre et ensuite soumise à une session de bronzage intense. Des tatouages colorés exécutés d'une main experte ornaient les courbes et la hauteur de ses biceps en remontant le long de ses larges épaules avant de disparaître sous le mince tissu de son t-shirt noir.

Il jeta sa veste sur la plateforme de travail à côté de sa bière avec une grâce surnaturelle puis il agrippa la porte de garage métallique avec ses deux mains. Siobhan l'observait, l'eau à la bouche et les jambes molles alors que chaque muscle de son corps se contractait et que la porte commençait à s'ouvrir.

Oh mer…

Elle n'eut pas le temps d'achever sa pensée lascive que déjà une lumière crue entrait dans la pièce à côté de lui, la privant de sa magnifique vue et l'aveuglant sur-le-champ. Elle leva sa main devant son visage et cligna des yeux dans les petites taches de poussière tourbillonnantes qui l'entouraient. Le crissement strident du métal contre le pavé s'arrêta enfin de l'autre côté de la pièce et fut suivi par le son des bottes qui s'approchaient d'elle.

Siobhan plissa les yeux et baissa son bras. Une ombre se déplaçait devant elle, remplissant son champ de vision, et elle se retrouva à regarder les yeux de Thane de si près qu'elle en eut le souffle coupé. Il pouvait l'embrasser juste là. Il ne manquait que quelques centimètres… Elle détecta son odeur : un mélange de cuir et de savon avec un peu d'huile-moteur ou de graisse.

Son ventre était chaud de nouveau, rempli de papillons et d'indécision. Il sourit, lui montrant ces dents blanches avec ces canines qui attendaient seulement de s'allonger et il se tourna légèrement en faisant un geste vers l'ouverture ultra-brillante qu'il avait faite de l'autre côté du garage.

Les tatouages qu'il portait semblaient maintenant plus vibrants qu'auparavant. Et… était-ce son imagination ou bien avaient-ils *changé* ?

Elle les fixa du regard : un phœnix d'un rouge ardent sur un bras et un dragon de la couleur de la pierre et de l'argent sur l'autre. Elle s'émerveilla de la manière dont ces œuvres d'art s'enroulaient autour des courbes généreuses de ses biceps. Elle se sentait subjuguée par eux.

Puis, la main de Thane se retrouva dans son dos et elle se faisait doucement pousser vers la lumière. Elle rougit de nouveau, furieuse contre elle-même pour son absence de volonté peu habituelle, et elle le suivit dans le garage.

Une brise chaude l'accueillit lorsqu'elle quitta le garage pour se retrouver dans la lumière éblouissante du midi. Elle cligna des yeux à quelques reprises, s'adaptant à la différence de clarté. Lorsque sa vue reprit ses droits, elle se retrouva face à une vaste étendue infinie. Des kilomètres et des kilomètres de terrain plat, un désert et rien d'autre, s'étirant à l'horizon. Elle se retourna sur elle-même pour obtenir une vue dans chaque direction. Elle ne changea jamais. C'était un désert omniprésent.

Siobhan s'éloigna du garage et marcha à plusieurs verges de la maison, puis elle se retourna pour y faire face.

Une maison à un étage aux murs de bois peints en blanc doté d'un garage permettant d'accueillir une seule voiture se dressait dans un décor presque onirique, reflet d'une solitude presque complète. Siobhan fronça les sourcils. Où était le hangar d'où elle venait juste de sortir?

L'image de la maison qu'elle regardait maintenant n'était manifestement pas ce qui était vraiment là. Devrait-elle vraiment en être étonnée? Elle tourna sur elle-même, sidérée par le paysage invariable. Rien ne faisait de sens ce jour-là, alors ceci n'était rien de nouveau.

Ce jour-là… Elle venait tout juste de se rendre compte qu'ils avaient quitté Salem en pleine nuit. Il était midi ici. La vaste étendue de terrain désolé cuisait sous le feu d'un soleil impitoyable.

Elle secoua sa tête, ne sachant pas quoi penser.

— Où sont-ils? demanda-t-elle en se référant aux Animes.

À l'exception de Thane, qui marchait maintenant vers elle, ses mains enfoncées dans les poches avant de ses jeans en faisant saillir les muscles de ses bras, elle ne voyait pas une seule âme.

Thane s'arrêta à côté d'elle et son regard fixa l'infinie distance.

— Ils sont là-bas, dit-il.

Siobhan le regarda, bouche bée.

— Quoi? Juste *là-bas*? Juste là, dans ce néant?

Thane baissa son regard vers elle. L'aspect argenté de ses yeux était assombri ici, ressemblait davantage au gris métallique d'une arme à feu qu'au reflet argenté rayonnant qu'ils arboraient dans l'obscurité. Il semblait également un peu plus humble. Le vent décoiffait ses cheveux et la poussière du désert s'y accumulait. Il semblait plus bronzé et troublé, comme le « Desperado » d'une ballade du groupe The Eagles. Il semblait aussi plus vieux. Et profondément triste.

— C'est ici que les âmes viennent pour oublier, expliqua-t-il. Les blessures sont profondes et il faut du temps. C'est ce qui leur est donné ici.

Siobhan se sentit secouée jusque dans son essence. Son regard passa de Thane à l'horizon avant de revenir se poser sur lui.

— Non, dit-elle.

Elle ferma ses yeux, secoua sa tête et les ouvrit de nouveau.

— Non, ce n'est pas juste.

Il y avait quelque chose de si fondamentalement incorrect à propos de ce que lui racontait Thane qu'elle pouvait à peine trouver les mots pour l'exprimer.

Elle se tourna pour lui faire entièrement face.

— « La vie n'est pas juste. » C'est ce qu'ils disent. C'est cette expression irréfléchie et régurgitée qu'on nous donne toujours lorsque les choses commencent à prendre une mauvaise tournure, s'emporta-t-elle.

Le ton de sa voix montait et ses mots sortaient avec plus de vitesse et de fureur.

— Mais ça ? dit-elle en désignant la terre desséchée de la main. C'est la *mort*. Et merde, les choses devraient pour une fois être justes dans la mort, vous ne croyez pas ?

Elle expira d'un souffle chancelant et souleva ses mains dans les airs.

— Vous me dites que les gens qui sont assassinés ou qui meurent de manières épouvantables sont envoyés sur cette terre désolée sans… sans… sans aucune empathie ? Aucune bonté, aucun réconfort, *rien* ? Ils souffrent dans la vie, ils souffrent dans la mort et ils souffrent de nouveau *ici* ?

Elle ne pouvait pas se retenir.

— C'est de la foutaise !

— Ils ne souffrent pas ici, intervint Thane d'un ton apaisant. Ils *sont*, tout simplement.

Siobhan avait le regard brillant de colère tout en étant bouche bée. Elle commença à dire quelque chose puis elle se tut. Sa bouche se ferma. Elle secoua sa tête.

— Non, dit-elle enfin. Ce n'est pas suffisant.

Elle détourna son regard, ce dernier voyageant le long de la ligne d'horizon au loin.

Un bon laps de temps s'écoula avant que l'un ou l'autre ne prenne la parole. Le vent remplissait le silence, le son creux et solitaire.

— Je ne pense également pas que ce soit suffisant.

Siobhan se redressa lentement en fronçant les sourcils. Elle se retourna pour faire face au roi des fantômes. Il l'observait avec des yeux attendrissants, maintenant gris foncé comme de la pierre.

— Je n'ai jamais pensé que c'était suffisant, concéda-t-il. Les choses sont seulement ainsi faites. Et j'ai été créé pour faire ce que je fais parce que je l'ai *été*. Je n'ai pas d'explications pour quoi que ce soit. Je ne peux pas trouver d'excuses.

Il marcha vers l'avant, refermant la distance entre eux et bloquant à sa vue le reste du purgatoire.

— Je vais toutefois vous dire une chose, dit-il.

Sa voix avait baissé pour devenir plus intime.

— Dans la brève période de temps où vous avez été ici, Siobhan, vous avez aidé plus d'âmes que je n'ai pu le faire durant la totalité de mon règne.

Siobhan sentit le sol bouger sous ses pieds lorsque Thane tendit la main et frôla le haut de son bras du bout de ses doigts avant de le prendre doucement dans sa main. Un frisson effervescent traversa sa peau et se glissa dans son sang, la réchauffant de l'intérieur.

— Ça pourrait signifier quelque chose, conclut-il.

Comme quoi? pensa-t-elle d'un air distrait. Elle ne pouvait soudainement se concentrer sur autre chose que son contact.

Il se termina bien trop tôt. Il baissa sa main et son expression changea.

— Je suis désolé, Siobhan, s'excusa-t-il. Je dois retourner et aider si je le peux.

Siobhan fronça les sourcils.

— Aider? Avec quoi?

Il ne pouvait pas faire référence au combat avec Marius. Ils avaient quitté les lieux plusieurs heures plus tôt. C'était sûrement terminé maintenant, que la conclusion ait été bonne ou pas. Elle ne s'en faisait plus pour Steven, car la magie n'avait manifestement pas d'effet importun sur lui. Et elle ne connaissait même pas l'homme aux cheveux blonds et aux yeux verts qui s'était matérialisé et qui l'avait revendiquée comme étant « une des siennes ». Il était un personnage charismatique, c'était une évidence, mais il n'était pas un ami ou un membre de sa famille. Elle n'avait rien à perdre dans le combat qu'ils avaient laissé derrière eux à part du matériel, et puisqu'elle avait la capacité de réparer n'importe quoi avec sa magie, le matériel n'avait jamais représenté grand-chose pour elle. Elle pourrait toujours s'en procurer d'autre.

— Lorsque je le lui ordonne, le temps s'écoule différemment dans le purgatoire, précisa-t-il.

Il inspira à fond puis il expira.

— Je dois retourner à votre maison, mais vous devez rester ici.

— Voulez-vous dire que Steven et les autres se battent toujours?

— Je ne le sais vraiment pas, avoua-t-il. Je ne le saurai pas avant d'y être retourné. Seulement quelques minutes se sont écoulées dans votre royaume, mais je ne peux pas maintenir l'écart de temps bien plus longtemps.

Le regard de Siobhan passa de Thane à la petite maison au milieu de nulle part.

— Vous ne pouvez pas me laisser ici.

— Je ne peux pas vous ramener avec moi. Marius est à vos trousses.

Il était déterminé; elle pouvait l'entendre dans sa voix. Mais Steven avait eu raison à propos d'elle. Elle était une femme entêtée et il était hors de question qu'elle demeure indéfiniment dans ces limbes.

Le regard de Siobhan se plissa, et elle pouvait sentir la magie s'éveiller en elle et lui tirer une oreille comme si elle pouvait sentir qu'elle allait finalement pouvoir sortir et s'amuser.

— Vous allez m'emmener, roi des fantômes, ou je jure devant Dieu que je vous ferai regretter d'avoir un jour posé les yeux sur moi.

CHAPITRE 17

Siobhan arpenta le grand bureau avec une fureur agitée. Il était bien équipé, meublé de choses si anciennes et malgré tout si neuves qu'il aurait bien pu s'agir d'antiquités qu'elle aurait elle-même réparées. Il n'y avait aucune fenêtre dans cette pièce, seulement des tapisseries, des bibliothèques et d'imposants fauteuils en cuir ornés de jetés si doux qu'elle avait envie d'en prendre un et de le porter sur elle.

Puis, il y avait les gardes. Ils étaient au nombre de quatre ; deux d'entre eux étaient postés de chaque côté de la porte dans la pièce et deux autres à la même position dans le corridor. *Sérieusement ! Quatre hommes ?* Ils avaient tous la taille d'un char d'assaut et une aura qui n'était clairement pas humaine.

Lorsqu'elle avait exigé de Thane qu'il la ramène dans le monde « réel » avec lui, il avait glissé une forte main dans son épaisse chevelure noire, puis ses yeux avaient étincelé comme de la foudre. Il avait ensuite pris une grande inspiration et avait enfin hoché la tête.

— D'accord, avait-il dit. Mais vous avez tout de même besoin de protection et je sais où vous allez en avoir.

Il s'était ensuite emparé de son poignet avec une poigne qui l'excitait et la rendait incontestablement nerveuse à la fois et il avait agité son autre main pour ouvrir un nouveau portail. Elle l'avait regardé grandir et s'étendre, un véritable accroc à toutes les lois connues de la physique, puis elle avait titubé légèrement lorsqu'il l'avait rapidement entraînée à l'intérieur.

Le voyage avait de nouveau été déroutant et il l'avait fatiguée légèrement. Elle avait voulu s'asseoir, regarder son environnement et trouver ses repères, mais le roi des fantômes ne lui en avait jamais donné l'occasion.

Elle se retrouvait plutôt dans une pièce déjà occupée, par deux hommes qui étaient aussi grands et impressionnants que Thane. L'un d'eux avait des cheveux plus pâles et portait un habit de majordome, ce qui étonna Siobhan un peu. Elle ignorait que les gens avaient encore des majordomes de nos jours. Il se tenait à côté de la porte comme s'il attendait des directives.

L'autre occupant de la pièce, un homme aux cheveux bruns et aux yeux très noirs, était intimidant à vue. Lorsque le portail s'ouvrit dans ce qui semblait être son bureau et que Siobhan et Thane le franchirent, l'homme se tourna de la bibliothèque face à laquelle il se trouvait, un téléphone contre son oreille, et il mit un terme à la conversation.

Ses yeux croisèrent ceux de Thane et une certaine communication silencieuse se déroula entre eux. Pendant ce temps, Siobhan était simplement demeurée là, affaissée sous le poids du transport via portail et d'un autre mystère de plus.

— Elle est une femme-sorcier, indiqua Thane. Et elle a besoin de protection.

Il baissa les yeux vers elle, ses canines maintenant totalement allongées, avant d'ajouter ceci :

— Beaucoup de protection.

Le grand homme aux cheveux bruns hocha la tête et l'informa :

— Ce sera fait. Et je présume que vous voudriez ajouter une autre raison pour laquelle les Treize doivent se rencontrer.

Thane hocha la tête à une seule reprise, ce qui ajouta encore davantage à la confusion générale de Siobhan. Il libéra ensuite le poignet de Siobhan et glissa une main tremblante sur son visage. Elle se sentait lessivée et quelque chose bourdonnait dans son cerveau.

— Jaxon, veuillez accompagner mademoiselle Ashdown à un fauteuil et veillez à ce qu'elle boive et mange quelque chose.

Siobhan baissa sa main et leva les yeux vers l'homme aux yeux noirs. Sa voix était stupéfiante dans sa forme d'autorité surnaturelle. Et comment avait-il su son nom de famille ?

Le majordome s'avança vers elle, la prit doucement par le haut des bras et la guida vers le fauteuil en cuir le plus près.

— Je dois insister pour que vous buviez du thé, Mademoiselle Ashdown, lui dit Jaxon, le majordome.

Sa voix était calme et apaisante, et lorsqu'il lui dit qu'elle devait boire du thé, elle dut reconnaître que cela semblait être une très bonne idée. Elle hocha la tête et il glissa un de ces jetés très doux autour d'elle avant de disparaître.

— Nous poursuivrons la conversation par ici, signifia l'homme aux yeux noirs, désignant une seconde porte permettant de quitter le bureau.

Thane jeta un coup d'œil à Siobhan. Pendant ce temps, deux ombres remplirent l'embrasure. Siobhan se retourna pour remarquer la présence de deux autres hommes de chaque côté de la porte ouverte.

Elle posa de nouveau son regard sur Thane et ce dernier sembla avoir pris une décision. Il suivit l'homme jusqu'à la porte avant de la franchir. Ils la fermèrent derrière eux, la laissant seule avec les deux étrangers.

Jaxon, le majordome, revint quelques secondes plus tard en portant un plateau où se trouvaient une théière fumante, du lait, de la crème, du sucre, du miel, trois différentes sortes de thé et au moins cinq différentes sortes de biscuits. Il déposa le plateau sur une petite table devant elle, lui dit de se servir et de s'adresser à un des gardes si elle avait besoin de quoi que ce soit d'autre. Il quitta ensuite la pièce.

Il disparut par la porte et fut remplacé par deux autres « gardes ».

Et elle se retrouva là, sous la surveillance de quatre hommes très intimidants.

Elle était anxieuse ; sa magie n'aimait pas le fait qu'elle se retrouve enfermée ainsi. C'était la partie têtue d'elle-même, la partie entêtée. Elle regarda les hommes, et sa magie la supplia de faire des trous dans leurs corps.

L'horloge sur le mur lui indiquait qu'elle avait seulement été là depuis 20 minutes, mais elle était certaine qu'elle n'était pas précise. Elle avait la certitude qu'elle y était depuis plusieurs jours. Elle se sentait déplacée, sans foyer, sans but et sans compréhension générale de ce qui se passait maintenant dans la vie.

Elle avait mangé la totalité des deux douzaines de biscuits. C'était là une preuve manifeste qu'elle avait atteint un certain point de rupture. Les extrémités de ses doigts éprouvaient des démangeaisons, comme s'ils recevaient de très légères décharges électriques. Sa tête semblait légère.

Elle jeta ensuite un regard aux deux hommes qui se trouvaient de chaque côté de la porte fermée et commença à se demander lequel il serait préférable d'attaquer en premier.

* * *

Thane eut besoin de cinq secondes pour relayer la situation au roi des vampires. Il avait su que les mots ne seraient pas nécessaires et ce fut le cas. Roman D'Angelo avait jeté un coup d'œil à Thane lorsqu'il était arrivé avec Siobhan dans son bureau et avait fouillé directement dans l'esprit du roi des fantômes pour recueillir les informations dont il avait besoin. Il y avait une bataille surnaturelle en cours à Salem qui impliquait Marius, Jason Alberich et le nouvel Akyri curieusement puissant, Steven Lazare, et Thane demandait l'aide de Roman.

Par égard pour Siobhan, Thane avait mentionné quelques trucs de base à haute voix : elle était une femme-sorcier et avait besoin de protection.

Roman avait sans doute déjà récolté ces informations. C'était avec le calme extérieur et la grâce d'un roi de 3000 ans que D'Angelo s'était donné la peine de faire de son mieux pour que Siobhan se sente à l'aise en demandant à Jaxon de s'occuper d'elle. Au même moment, il avait mentalement ordonné à ses gardes de veiller sur elle. Puis, il avait guidé Thanatos par une porte normale jusque dans une pièce séparée à partir de laquelle ils pourraient se téléporter au loin.

Lorsqu'ils entrèrent dans le portail qui allait les mener du refuge du roi des vampires aux rues de Salem, Thane put sentir qu'il y avait à l'œuvre davantage que ce dont il était lui-même conscient. À son arrivée dans le bureau avec Siobhan, il avait été immédiatement frappé par l'impression que Roman D'Angelo était déjà troublé. Il y avait une aura dans le bureau et dans la maison en général qui était *mauvaise*.

Thane pouvait maintenant voir le pouvoir s'accroître autour de Roman à une allure presque effrayante. Il était agité. Il avait été en mesure de masquer sa colère interne à la maison, mais le monstre en lui dressait maintenant sa tête.

D'une part, si le roi des vampires libérait tout le pouvoir qu'il avait en réserve, Salem s'effondrerait comme si elle avait été soumise à un violent tremblement de terre. D'autre part, la simple proximité de Thane par rapport à cet homme lui permettait d'absorber une partie de cette magie, et c'était probablement une bonne chose. En fait, connaissant Roman, c'était peut-être exactement le plan du roi des vampires.

Ils quittèrent tous deux le portail en même temps, enveloppés par des ténèbres si sombres qu'ils semblaient apporter la nuit avec eux. Le portail se referma derrière eux sans qu'un son puisse être détecté parce qu'une tempête se levait autour d'eux, sa foudre déchirant le ciel et son tonnerre étouffant tous les autres bruits.

Le vent fouetta les cheveux de Thane et ses yeux projetèrent une lumière blanche. Ses canines s'allongèrent derrière ses lèvres retroussées, prêtes à l'action. L'air était imprégné de magie, sombre et tordue, frôlant sa peau et hérissant les poils de ses bras. Roman se transforma lui aussi à ses côtés, le monstre en lui libre de laisser rougeoyer ses yeux et d'exposer les canines qui étaient normalement dissimulées.

Le cul-de-sac de la rue de Siobhan se trouvait droit devant eux. Il ne s'était même pas écoulé une minute entière depuis que Thane s'était téléporté avec Siobhan au purgatoire. Il pouvait sentir le changement dans le temps; ce dernier s'était pratiquement arrêté. Il ne l'avait jamais retenu aussi longtemps auparavant. Était-il en train de devenir plus puissant? C'était une question à laquelle il devrait répondre plus tard.

Thane et Roman se mirent à courir vers la maison dans le cul-de-sac, attirés par les jets de magie colorée qui pouvaient être aperçus à travers les rideaux gonflés qui bruissaient et dansaient dans les fenêtres fracassées de la maison. Le ciel se déchira sous l'effet de la foudre qui vint ensuite s'abattre directement sur le toit de la maison. Sa force fut si puissante qu'elle cascada sur les tuiles avant de traverser la cour et de se diriger dans la rue, obligeant Thane et son compagnon à s'arrêter.

Les deux hommes s'accroupirent sous cet assaut prenant la forme d'une vague électrique chargée de magie noire tandis que l'ondulation bien visible progressait sur l'asphalte. Thane baissa sa tête et s'accrocha puis il profita de l'occasion pour absorber chaque once de magie transportée par ce raz-de-marée qui déferlait sur son corps puissant. Il y en avait tellement que c'était presque douloureux de s'en emparer, mais il tint bon.

Roman et lui levèrent ensuite la tête pour laisser leurs regards s'attarder sur la maison une fois de plus. La vision de Thane était teintée de rouge. Un fracas se fit entendre dans la maison et du verre explosa puis tinta sur une grande distance. Quelqu'un poussa un grognement de douleur suivi d'un cri illustrant son supplice.

Roman se dirigea vers une des fenêtres tandis que Thane fonçait dans la maison en fracassant la porte d'entrée, se rendant ensuite compte de ce qu'il était en train de faire. Il n'avait aucune idée de l'endroit où se trouvait le roi des vampires et il s'en fichait presque.

La scène qui se déroulait devant lui en était une de chaos et de lutte. Jason Alberich se trouvait au centre de la pièce, soit là où Thane et Siobhan l'avaient vu quelques secondes plus tôt. Il était engagé dans un combat au corps à corps avec Marius. Les deux hommes se tenaient fermement et étaient entourés d'une telle quantité de magie que leurs corps étaient flous et estompés dans le nuage miasmatique.

Alberich venait de terminer de jeter le sort qu'il avait amorcé lorsque Thane avait amené Siobhan hors de la maison. Thane en reconnaissait maintenant la signature. Ce sort particulier était censé *absorber* la magie au lieu d'attaquer avec elle. Le roi des sorciers était assez intelligent pour ne pas utiliser la magie directement contre Marius, puisque cet infâme Akyri ne ferait que l'absorber avant de l'utiliser contre lui. Alberich avait plutôt retourné la situation et utilisé un sort censé retirer autant de pouvoir que possible de Marius.

Le choc de ces deux volontés avait dû être immense pour avoir ainsi créé ce désordre dans la salle de séjour. Toutes les surfaces étaient roussies, quoiqu'Alberich et Marius semblaient avoir été totalement épargnés. La foudre qui avait fait s'arrêter Thane et Roman à l'extérieur avait sans doute été la conséquence de leurs deux pouvoirs se livrant bataille : Marius luttant furieusement pour conserver ce qu'il avait et Jason luttant tout aussi intensément pour le lui enlever.

Ils n'étaient pas seuls dans la pièce. Des Akyri rebelles se battaient partout à coups de poing avec les sorciers de Jason et ses serviteurs Akyri personnels. En sa qualité de roi des sorciers, Jason avait accumulé une immense quantité de pouvoir, ce qui attirait les Akyri irrésistiblement vers lui. Il avait choisi les Akyri les plus forts et les plus loyaux pour lui servir de ce qui se rapprochait d'un rôle de garde. Ces hommes luttaient maintenant à ses côtés.

L'ancien détective Steven Lazare participait lui aussi à la bataille, et Thane fut excessivement étonné de le voir écraser un des Akyri de Marius contre le mur roussi derrière lui sous ses yeux.

Il avait eu quelques fractions de seconde pour en prendre note. C'était tout.

Il fut ensuite frappé par quelque chose de dur, de rapide et de puissant provenant du côté au cours de l'instant qui suivit et deux corps traversèrent la salle de séjour pour aller percuter la table de la salle à manger, la brisant en éclats sous eux tandis qu'ils continuaient leur descente jusqu'au plancher.

Thane se chargea du cas de son assaillant. Puis du second à se présenter à lui. Et à un certain moment, après avoir assommé un troisième assaillant tout en se préparant à régler le cas d'un quatrième, il se demanda comment il pouvait y en avoir autant. Marius bénéficiait de l'appui d'une véritable armée de démons.

Et ces soldats étaient tous venus ici pour l'aider à mettre la main sur Siobhan ? Pourquoi ? Oui, elle était belle, oui, elle était une femme-sorcier, oui, elle avait amassé une pleine cargaison de pouvoir au fil des années et oui, elle pourrait même être sa reine…

Thane sentit un frisson de crainte et de détermination lui parcourir le corps en vitesse. Il avait répondu à sa propre question. Le roi Akyri aurait du mal à trouver un repas plus désirable que cette innocente femme-sorcier qui pourrait aussi être une des 13 reines.

Thane serra les dents et le quatrième Akyri avec lequel il se battait fut propulsé au loin tout comme le cinquième qui suivit. Il sentit la magie qu'il avait volée monter au front, prête à être utilisée, même s'il savait que ce serait une erreur fatale de s'en servir contre ces hommes. Il se retourna pour trouver un nouvel adversaire lorsqu'un autre éclair déchira le ciel de la nuit.

Celui-ci était si proche qu'il lui fit grincer les dents en plus de bourdonner dans son esprit et de lui donner l'impression que le monde était distant pendant un moment. L'électricité frappa le toit avant de voyager dans le bois déjà brûlé et de cascader comme une toile d'araignée sur chaque meuble dans la maison.

Elle illumina le sol sous lui comme une grille, faisant fondre quelques nervures sous ses bottes de moto.

Le temps sembla ralentir à la suite de la détonation et il s'arrêta presque. Thane se retourna dans cette bataille au ralenti, ses yeux argentés fouillant dans cet étrange chaos.

Il remarqua alors qu'il se trouvait au centre de la maison illuminée et brûlée, Jason Alberich, Roman D'Angelo, Steven Lazare et Marius, le roi Akyri, tous situés à quelques mètres les uns des autres. Les cinq hommes formaient un pentagramme de magie palpitante et pétaradante, un pouvoir ancien et sans nom.

Les ombres dansaient et vacillaient autour d'eux, leurs profondeurs s'obscurcissant en des formes familières. Thane leur jeta un coup d'œil et fronça les sourcils. Il éprouvait la sensation la plus étrange… que chacune l'observait. En mode attente. C'était comme si les esprits de son royaume s'étaient réunis le long de ses frontières, une armée d'âmes prêtes à attaquer le monde qu'ils avaient autrefois connu pour leur roi. C'était cependant impossible. Une fois un Anime coincé dans le purgatoire, il ne pouvait jamais plus en sortir. C'était impossible.

Ou l'était-ce vraiment ?

Pour quelque raison que ce soit, en ce moment précis et au centre d'une magie aussi épaisse que de l'eau dans l'air autour de lui, il sentit que tout était possible.

À un demi-mètre de lui, les yeux rouges de Marius brûlaient avec une haine indicible et beaucoup trop de pouvoir. Il tourna ces yeux rouges sur Thane et exposa ses canines.

— Je l'aurai, roi des fantômes. Croyez-moi.

Puis, il se tourna vers Alberich.

— Et vous, roi des sorciers. Vous pouvez trouver n'importe quel sorcier n'importe où dans le monde.

Il éclata de rire, et le son ainsi produit fut affreux et misérable, dur, rauque et profond. Tandis qu'il riait, les Akyri tombés au combat se mirent à se relever ; même ceux qu'il était certain d'avoir tués.

— Les sorciers sont votre domaine, continua Marius. Et les Akyri sont le mien.

Son sourire s'agrandit et ses yeux brûlèrent comme des rayons laser lorsqu'ils se fixèrent sur ceux de Jason.

— Même les belles Akyri blondes qui se cachent sur des îles minuscules au milieu du Pacifique.

Les yeux verts de Jason rougeoyèrent. Il fit un pas vers l'avant, et croisa un champ de force de magie inconcevable alors que le roi Akyri projetait son pouvoir en une décharge extérieure, ouvrant simultanément un portail instantané vers un autre endroit.

C'était un lieu sombre et horrible.

Thane put en avoir une brève impression avant que Marius et tous ses laquais Akyri soient enveloppés par une obscurité profonde, sombre, froide et impénétrable avant d'être aspirés au loin.

Une seconde plus tard, Jason renvoya ses propres Akyri, qui s'en étaient tous tirés relativement indemnes. Il n'avait choisi que les meilleurs.

Après la bataille, trois rois du monde surnaturel et un nouveau venu surprenant demeurèrent sur place, leurs poitrines se soulevant et s'abaissant à cause des efforts déployés, leurs vêtements en lambeaux et la maison en ruines autour d'eux.

À l'extérieur, un beau matou roux fouettait sa queue contre le pavé du trottoir d'un air agité. Il produisit un petit son qui semblait teinté de frustration. Ses moustaches tiquèrent.

Des sirènes hurlaient au loin.

CHAPITRE 18

Un nuage sombre plana au-dessus de Roman D'Angelo tandis qu'il entrait dans la salle de réunion des Treize rois cette nuit-là. L'air était déjà chargé d'un mélange impétueux de magie à peine maîtrisée lorsque Roman entra en fermant la porte derrière lui. Il était en retard. Sa place était à l'extrémité de la table et il aurait normalement été le premier à arriver. Surtout que c'était lui qui avait convoqué la réunion.

Il n'y avait cependant rien de normal à propos de cette nuit et il avait senti le poids de 12 paires d'yeux très puissants le suivre jusqu'à son fauteuil depuis qu'il avait mis le pied dans la salle.

Douze rois originaux étaient présents aujourd'hui. Le roi Akyri, Marius, manquait à l'appel. Jesse Graves, le Surveillant du conseil des loups-garous, était assis à sa place. Il avait été invité à se joindre à eux plusieurs mois auparavant, mais il avait fallu que quelque chose de très personnel se produise près de chez lui pour qu'il daigne enfin se présenter à la table.

Il se passait tant de choses en même temps que l'impression qui s'en dégageait était apocalyptique.

Il y avait cette histoire avec Ophélia… Roman n'était pas un homme que n'importe quelle personne saine d'esprit voudrait contrarier. Ophélia n'était cependant pas saine d'esprit, et elle n'était pas vraiment une personne non plus. Elle était une vampire, ce que Roman avait de la difficulté à comprendre, mais elle avait également déjà acquis plus de pouvoir qu'une vampire de son âge devrait en avoir.

Il l'avait senti quand elle était entrée dans son esprit. Personne d'autre au monde ne pouvait faire une telle chose, pas même Evie, même si elle s'en rapprochait. Il pouvait sentir que les capacités de sa femme croissaient chaque jour. Lalura avait vu juste quand elle avait réitéré qu'aux échecs, la reine était toujours plus puissante que le roi. Evelynne D'Angelo était sur le point de le prouver totalement.

Mais pour le moment, les réflexions privées de Roman étaient à l'abri de tous, sauf de la jeune femme qu'il avait autrefois courtisée, qu'il avait *pensé* avoir aimée et qui apparemment le détestait maintenant, lui autant que toutes les personnes qu'il aimait pour vrai.

Quelqu'un quelque part, un autre vampire, avait transformé Ophélia malgré le décret de Roman en tant que roi en vertu duquel une telle transformation ne pouvait plus être faite. La loi qui interdisait de transformer des mortels avait maintenant été abolie et les vampires du royaume de Roman avaient la permission de créer de nouveaux vampires dans certains cas particuliers. Un tel acte n'était cependant pas permis en 1798 et pour de très bonnes raisons.

Lorsque Roman avait tué l'ancien roi en lui succédant ainsi comme souverain des vampires 3000 ans plus tôt, il avait hérité du trône d'une nation si débauchée et si dominée par la soif du sang qu'il en avait été dégoûté jusqu'au plus profond de son être.

La première chose qu'il avait faite en tant que roi avait été de s'assurer que la mort, la destruction et l'indifférence absolue envers les émotions humaines prennent fin sur-le-champ.

Trois mots magiques étaient nécessaires pour transformer un humain en vampire : *Addo nox noctis*. Roman avait dissimulé ces mots, cachant ainsi le moyen permettant d'imposer cette transformation aux humains. Il avait ensuite émis le décret. La punition en cas de violation de ce décret avait été très stricte.

Et voilà qu'au moins une infraction très importante était passée inaperçue. Il n'était donc pas étonnant que l'Anime d'Ophélia ne se soit pas retrouvé dans le royaume du roi des fantômes lorsque Roman, ivre de chagrin, s'y était présenté pour la quérir. En dépit du fait qu'elle avait connu une mort injustifiée, ayant été happée par une calèche dans les rues de Londres dans la fleur de l'âge, elle n'avait pas pu être trouvée dans le purgatoire. C'était ce que Thanatos lui avait dit.

Roman ne l'avait pas cru à l'époque.

Il le croyait maintenant.

Il ne pouvait pas s'empêcher de se demander quel vampire était derrière cette histoire. Et pourquoi avoir transformé Ophélia ? Elle était certainement adorable, mais la transformation en avait-elle valu la peine ? La poigne de fer de Roman sur la nation des vampires et les punitions qui étaient appliquées en cas d'infraction envers une de ses lois étaient si sévères qu'un vampire voulant s'y risquer ne devait pas avoir toute sa tête. Ou bien être vraiment très intelligent.

Ou les deux.

Peu importe qui il était, Ophélia avait fait référence à lui en tant que maître vampire et avait pratiquement promis qu'il viendrait pour Evelynne, sans compter la menace qu'Ophélia représentait elle-même. Elle se sentait abandonnée par lui et remplacée par Evie, et elle avait signifié son intention de se venger. Le moyen le plus facile de dévaster Roman serait d'attaquer Evie directement.

C'était sa pire crainte.

Roman savait qu'il ne pouvait pas faire confiance aux Treize rois. Le combat qu'il venait de livrer au roi Akyri en compagnie d'Alberich et de Thane le confirmait. Il ne pouvait pas demander à Evie de se joindre à lui dans la salle de réunion. Il y avait tant de pouvoir autour de cette table que si l'un ou l'autre des rois présents était impliqué de quelque façon dans la transformation d'Ophélia ou était du côté de Marius, la vie d'Evie serait en danger.

Il l'avait plutôt laissée dans leur caverne, le seul endroit où il était convaincu qu'elle serait en sécurité.

— Messieurs, je vous remercie de votre temps, commença Roman en saluant les autres personnes en présence.

Sa voix grave et puissante remplissait la pièce avec autorité, comme elle l'avait toujours fait. Il se rendit jusqu'au fauteuil qui était le sien, mais au lieu de s'y asseoir, il posa ses mains paumes vers le bas sur la table et se pencha vers l'avant.

— Je crains que plusieurs présages ne justifient votre présence ici ce soir. Aucun d'eux n'est nécessairement bien et plusieurs d'entre eux sont certainement *moins* que bien.

Ophélia était un problème.

Cette histoire impliquant le roi Akyri en était un autre.

Le roi des ombres était assis à la gauche de Roman, le visage dissimulé dans la noirceur du capuchon de sa cape, ne laissant voir que l'éclat surnaturel de ses yeux. Peu de personnes avaient vu le visage qui se cachait dans cette obscurité. Roman était l'un des rares à l'avoir vu.

À la gauche du roi des ombres se trouvait le roi de l'hiver, aussi connu sous le nom du roi de la glace, ou Kristopher. Sa belle chevelure épaisse était de la couleur de la neige, ses yeux étaient d'un bleu gris arctique, et une touche de givre apparaissait devant sa bouche à chacune de ses lentes respirations, bien que le phénomène ne se produisait pas toujours. La glace en lui était normalement bien dissimulée. Lorsque le danger se présentait, le froid de l'âme ancienne de Kristopher était cependant libéré. L'un des leurs, roi comme eux, les avait trahis. S'ils ne pouvaient pas avoir confiance en eux et compter l'un sur l'autre, une guerre surnaturelle pourrait être déclenchée. Une telle chose provoquerait la fin de la Terre telle que tout le monde la connaissait.

Kristopher avait donc raison d'être contrarié. Ils l'étaient tous.

Les mains de Kristopher étaient posées sur ses cuisses, mais s'il devait se pencher vers l'avant et toucher la table, Roman savait que le givre commencerait à se répandre sur sa surface. C'était inquiétant à voir.

À la gauche du roi de l'hiver se trouvait le roi Unseelie, Caliban. Il était l'un des hommes les plus… *effrayants* à la table. Les fées étaient toujours belles, et Caliban ne faisait pas exception à la règle. Il avait des cheveux noirs comme l'ébène, la peau claire et un sourire charmant qui dissimulait le courant obscur qui définissait son royaume. Lui et son frère, le roi Seelie, étaient les deux souverains de la cour surnaturelle. Son frère était assis directement en face de lui, son contraire dans pratiquement tout.

Les deux rois Sidhe portaient des anneaux identiques qui les protégeaient du fer si répandu dans la société moderne et qui leur permettait de se présenter dans les réunions tenues dans de plus grandes villes lorsque nécessaire.

Le roi des fantômes, Thanatos, était assis à la gauche du roi Unseelie.

Thane était normalement un homme désordonné, mais incroyablement décontracté qui participait aux réunions uniquement parce qu'il devait le faire en tant que roi, mais ce n'était pas le cas ce soir.

Au lieu du costume qu'il portait normalement quand il assistait aux réunions, il avait conservé ses vêtements habituels, soit des jeans bleus, un t-shirt et une veste en cuir noir. Ces trois éléments vestimentaires portaient tous les traces de leur récente bataille. Les tatouages que Roman pouvait voir là où ils dépassaient sur son cou et sur ses poignets au-delà des manches de sa veste montraient une encre très noire plus agitée que jamais.

Ses yeux gris passaient de l'argenté au gris anthracite en tourbillonnant et tous les muscles de son corps semblaient fléchis. Il était aussi tendu que la corde d'un arc, et sa situation se reflétait chez le roi des sorciers, qui était assis directement face à lui.

Jason Alberich était aussi venu à la réunion en portant des vêtements de tous les jours, qui étaient noirs comme ses habits habituels. Ses yeux vert jade lançaient des étincelles émeraude furieuses, et l'air autour de lui était chargé d'une aura si intense que Roman sut que cet homme devait se concentrer intensément pour obliger sa magie noire à obéir.

Les deux hommes étaient comme des loups protégeant leurs partenaires, leurs canines exposées, leurs yeux luisants, leurs muscles bandés prêts au combat. Et la raison pour laquelle cette posture était adoptée était claire ; leurs partenaires étaient réellement menacées. Jason n'avait pas encore revendiqué sa reine, ne l'ayant même pas encore rencontrée en personne. Quant à Thane…

Roman jeta un coup d'œil à l'homme aux cheveux noirs. Thane ne s'en était pas encore totalement rendu compte et ne se l'était pas admis, mais la jeune Siobhan Ashdown était destinée à régner à ses côtés. Son âme le savait, son cœur le reconnaissait et son corps réagissait à la menace qui planait sur elle.

En parlant du loup...

Le nouveau venu à la table, Jesse Graves, montrait lui aussi des signes d'une colère soigneusement contenue. C'était plus facile pour le Surveillant de dissimuler ses émotions, lui qui avait autrefois été une Sentinelle dans la communauté des loups-garous et donc un exécuteur spécialement formé. Mais la couleur ambrée de ses yeux luisait aussi intensément que le soleil. C'était toujours un signe chez les loups-garous. Le fait que ses pupilles soient teintées de rouge et que ses lèvres soient fermées pour dissimuler ses crocs étaient deux signes de plus.

— Des menaces envers notre communauté, envers nos peuples et même envers les gens que nous aimons ont été mises en évidence au cours des derniers jours, annonça Roman. Elles sont impérieuses et potentiellement catastrophiques.

Il fit une pause pour créer de l'effet.

— Je ne vous retiendrai donc pas très longtemps.

La communauté des loups-garous avait affaire à un intrus suffisamment puissant pour être en mesure de déjouer les protections de Jason Alberich de même que plusieurs exécutants, sans parler de Lucas Caige, pour ensuite mettre la main sur les jumeaux nouveau-nés de la Guérisseuse. Cette idée était terrifiante pour Dannai et son mari, mais également pour toutes les personnes qui se souciaient d'elle, ce qui comprenait un grand nombre de personnes.

Une de ces personnes était le parrain et protecteur des jumeaux, Jason Alberich. Le roi des sorciers en avait déjà assez de s'en faire avec les menaces qui planaient sur sa reine et sur une de ses femmes-sorciers, mais ses problèmes ne s'arrêtaient pas là.

Roman s'assit dans son fauteuil et commença à divulguer les détails de chacune de leurs préoccupations lorsqu'une perturbation soudaine se manifesta dans l'air. Ce n'était pas désagréable et c'était très familier.

Il leva les yeux à temps pour observer les expressions faciales de chacun des rois changer lorsqu'ils remarquèrent eux aussi la vibration. Certains furent étonnés.

Il ne l'était pas, tout comme Jason Alberich, qui reconnaissait aussi distinctement la signature de la sensation.

Roman changea de registre et se redressa, se tenant debout une fois de plus.

— Messieurs, je voudrais vous présenter la très sage et vénérable grande sorcière, Lalura Chantelle.

L'air au-dessus de la table se mit à vaciller dès que les mots franchirent ses lèvres. Roman observa la scène en silence tandis que sa très vieille amie faisait son apparition spectaculaire dans un nuage de fumée grise et un flash de lumière brillante.

Les rois se calèrent dans leurs fauteuils puis levèrent les yeux vers la nouvelle venue, qui se tenait au centre de la table en acajou poli du haut de son 1 mètre 20.

Elle faisait dos à Roman lors de son apparition. Elle jeta un rapide coup d'œil autour d'elle puis se retourna pour lui faire face, manifestant son irritation en poussant un petit bruit tandis que ses vieux os s'entrechoquaient. Ses talons grattèrent la table en dessous d'elle. Roman prit une lente et longue inspiration.

La grande sorcière qui semblait être à moitié naine et à moitié elfe baissa le regard vers Roman, ses yeux bleu clair le traversant jusqu'à l'âme.

— Vous n'avez pas bonne mine, Roman, fit-elle remarquer. C'est moi qui ne suis pas censé bien paraître à mon âge.

Personne ne s'était jamais matérialisé ainsi dans une réunion des Treize rois auparavant. Personne ne pouvait même prétendre connaître l'emplacement des lieux de rencontre et ils changeaient toujours de place, géographiquement parlant. Il ne pouvait cependant pas mobiliser la quantité d'effort dont il aurait eu besoin pour être déconcerté par l'intrusion de Lalura. Il n'était tout simplement pas étonné.

C'était bien Lalura. Il aurait dû savoir que ce n'était plus qu'une question de temps.

Il s'avança et lui offrit sa main avec une grâce acquise de longue date pour l'aider à descendre de la table.

Elle l'accepta sans dire un mot, utilisant son fauteuil désert en guise d'escabeau. Une fois debout à côté de lui, elle lissa sa robe et ajusta sa canne avant de prendre la parole.

— Je n'accaparerai pas une grande partie de votre temps.

Son ton de voix était sombre et strict.

— Les dieux savent que j'ai des devoirs à accomplir ailleurs.

Elle se retourna et lança un regard entendu à Alberich. Le roi des sorciers lui retourna un simple hochement de tête.

Elle regarda ensuite Thanatos.

— Je suis seulement venue ici donner quelque chose au roi des fantômes.

Thane l'observa en silence. Il était un genre de roi intouchable, fait de choses intangibles et mystérieuses. Son monde était si désolé et si extrême que le tissu même de son être semblait refléter sa rudesse. Il ne baissa pas les yeux face au regard perçant de Lalura et il ne parla pas. Il avait beaucoup de choses à gérer, et ce que la vieille sorcière pouvait bien vouloir lui donner serait sans doute sans importance par rapport aux ennuis qui couvaient en lui.

Lalura s'appuya sur sa canne et marcha vers lui. Chemin faisant, elle regarda chacun des rois, son regard stable et vif, sa petite silhouette anormalement forte en présence de tant d'hommes aux dents acérées.

— Cette réunion manque manifestement de présence féminine, indiqua-t-elle d'une voix écorchée teintée de désapproba-
tion. Mais cela changera, conclut-elle doucement.

Lorsqu'elle fut debout face au roi des fantômes, Thane agrippa
les accoudoirs de son fauteuil, le poussa vers l'arrière et se leva
en lui indiquant de s'asseoir à sa place d'un geste de la main.

Roman approuva silencieusement son geste. Thane était prêt
à tuer ; cela était évident en raison des canines qu'il exposa rapidement à la vue lorsque ses lèvres s'entrouvrirent. Son envie ne
l'empêcha toutefois pas d'agir comme un gentleman. Son comportement était celui d'un vrai roi.

Lalura secoua sa tête.

— Non merci, refusa-t-elle en tendant les mains pour s'agripper à sa grande silhouette lorsqu'elle s'arrêta et se retourna avant
de repartir dans l'autre direction.

Roman fronça les sourcils.

— Lalura, ne vouliez-vous pas donner quelque chose à
Thanatos ? demanda-t-il.

— Oh, c'est déjà fait, souligna-t-elle en agitant sa main d'une
manière dédaigneuse.

Roman jeta un coup d'œil à Thane, qui était toujours debout
à côté de son fauteuil, les mains bien vides.

Lalura jeta un coup d'œil à Thane par-dessus son épaule.

— Regardez dans vos poches, très cher, le somma-t-elle.

Puis, elle se tourna de nouveau vers Roman.

— Et vous, Roman, poursuivit-elle. Merci pour votre introduction, dit-elle en s'adoucissant. C'était très gentil de votre part.

Roman osa un regard vers les hommes dans la pièce en
esquissant un mince sourire.

— Si je ne vous avais pas présentée, Lalura, vous seriez peut-
être morte à l'heure qu'il est.

Soit elle ne l'entendit pas, soit elle ne sentit pas le besoin de justifier ses paroles en lui offrant une nouvelle réponse, car elle changea aussitôt le sujet de la conversation. Son ton de voix baissa, son expression faciale devint sérieuse et elle se pencha vers l'avant. Le bleu de ses yeux s'intensifia. Il se pencha pour croiser son regard.

— Le loup est à la porte, mon vieil ami, lassa-t-elle tomber. Et il ne ressemble à aucun autre loup que vous connaissez.

Elle se redressa et jeta un regard au Surveillant des loups-garous, Jesse Graves.

— Ne le prenez pas mal, Jesse.

L'homme noir hocha la tête.

— Il n'y a pas de mal, répondit-il.

Sur ces mots, la grande sorcière disparut. Aucune poussière magique, aucune fumée, aucun bruit particulier ou effet spectaculaire. Elle se volatilisa, tout simplement.

Roman regarda Thane tandis que les dernières paroles de Lalura résonnaient dans son esprit. Thane glissa sa main droite dans sa poche et cligna des yeux. Quand il la retira de là, il tenait une pièce de jeu d'échecs.

Une reine rouge foncé.

CHAPITRE 19

Celui sur la droite, pensa-t-elle. C'était le plus grand des deux, mais pas de beaucoup. Si elle réglait son cas en premier, elle aurait de meilleures chances de pouvoir ensuite se charger du deuxième homme.

La porte par laquelle Thane avait disparu s'ouvrit de nouveau, juste au moment où Siobhan pensa qu'elle allait devoir libérer une partie de l'anxiété refoulée qui couvait en elle. Siobhan se retourna en vitesse pour lui faire face, ses cheveux roux volant autour d'elle comme une flamme avivée. Cette même flamme crépitait dans ses yeux ; elle pouvait le sentir. Elle était contrariée et elle voulait des réponses tout de suite.

L'homme aux yeux noirs perçants passa par l'embrasure en premier. Siobhan lui jeta un regard fâché, la magie en elle ne se souciant maintenant plus à quel point il était terrifiant ou charismatique. Il l'observa avec un air de calme suprême, et à moins qu'elle n'ait été en train de l'imaginer, il y avait même une trace d'amusement dans la profondeur de ses yeux sombres. Il se déplaça dans le bureau et son regard se posa sur les hommes de chaque côté de la porte. Il hocha la tête.

Siobhan se tourna à temps pour voir les hommes ouvrir la porte et s'y glisser avant de la refermer derrière eux.

Elle se retourna de nouveau lorsque Thanatos entra dans la pièce à la suite de son compagnon vêtu d'un costume. Une partie de la colère de Siobhan s'estompa dès le moment où il entra dans la pièce. Elle le regarda puis s'attarda à son beau visage partiellement recouvert d'une barbe naissante et à ses yeux argentés perçants, et une partie de la colère inflexible qui s'était durcie dans son cœur au cours des 20 dernières minutes fondit.

Il était parfait.

L'avait-elle remarqué la dernière fois qu'elle l'avait vu? La manière dont son jeans moulait chaque courbe, ses bottes, sa veste, ses cheveux qui frôlaient son col en cuir; la masculinité pure qui émanait de lui? Lui avait-elle accordé l'attention qu'elle méritait?

Elle se rendit alors compte qu'elle s'était ennuyée de lui. Elle venait à peine de le rencontrer et n'avait passé que quelques heures avec lui, mais pendant tout ce temps où elle avait été seule dans le bureau avec les gardes, elle avait pensé à Thanatos et au fait qu'elle avait réellement hâte de le revoir.

C'était une réalisation qui donnait à réfléchir.

Ses yeux argentés trouvèrent immédiatement les siens et se fixèrent sur eux dès son entrée dans la pièce, et même pendant qu'il fermait la porte derrière lui. Elle se sentit tenue par lui à travers ce regard, clouée sur place, mise aux fers et liée, et elle fut remplie par la plus étrange des sensations. C'était comme si le roi des fantômes était tout aussi ravi, choqué et désespéré de poser les yeux sur elle qu'elle l'avait été.

Était-ce possible? Ou prenait-elle seulement ses désirs pour des réalités?

Un doux et profond éclat de rire la tira de son étrange rêverie et arracha son regard de Thane. Elle tourna son regard vers l'homme en costume. Il les observait tous les deux, ses yeux se déplaçant de l'un à l'autre, son expression faciale entendue et certainement amusée.

— Siobhan, je crains qu'il ne me faille partager bien des choses avec vous et que nous n'ayons pas beaucoup de temps pour le faire, annonça l'étranger. Je vais toutefois commencer par me présenter. Je suis Roman D'Angelo, dit-il en posant ses doigts sur sa poitrine en guise d'introduction.

Il s'inclina légèrement.

— Je suis le roi des vampires.

*   *   *

Thane vit les émotions se succéder en vitesse dans les magnifiques yeux bruns de Siobhan. La première fut la surprise. Puis, ce fut le tour de la crainte et de la méfiance. Le tout fut suivi par de la bonne vieille fatigue. Son regard passa de Roman à Thane puis à Roman de nouveau, puis elle baissa les yeux vers le plancher et pinça l'arête de son nez. Thane n'avait jamais été davantage tenté de prendre une femme dans ses bras pour la réconforter.

Il se dirigea vers elle, mais quelque chose lui dit de lui donner un peu d'espace, alors il s'arrêta à quelques mètres d'elle et lui suggéra doucement de s'asseoir.

Elle secoua cependant la tête et soupira.

— Le roi des vampires ? demanda-t-elle d'un air incrédule, sa voix douce et voilée.

Elle ferma ses yeux.

— Vous n'êtes pas en train de vous ficher de moi, n'est-ce pas, murmura-t-elle.

Cette dernière phrase n'était pas une question. C'était une déclaration factuelle chancelante, une constatation qu'elle reconnaissait simplement à haute voix pour elle-même dans son état fatigué.

— Non, dit Roman.

Il avait utilisé une parcelle de sa magie pour les nettoyer tous les deux de sorte qu'ils n'avaient plus l'air de sortir amochés d'une bataille. Le roi des vampires apparut alors comme étant dominant comme jamais. Il contourna son bureau puis ouvrit un tiroir. Il retira une bouteille de spiritueux de ses profondeurs ainsi qu'un seul verre de cristal. Il remplit le verre d'alcool et s'approcha de Siobhan.

Elle leva les yeux quand elle vit les extrémités de ses chaussures sur le tapis devant elle. Il lui offrit le verre.

— Comme je vous l'ai dit, nous avons beaucoup de choses à discuter, exposa-t-il en s'inclinant et en prenant sa main pour y glisser le verre. Alors, buvez et assoyez-vous parce que nous n'avons vraiment pas beaucoup de temps.

Vingt minutes plus tard, Thane se retrouva à côté de la grande causeuse sur laquelle Siobhan était assise et Roman D'Angelo était penché contre son bureau, ses paumes refermées sur ses contours, ses yeux sur la jeune femme-sorcier. Il lui avait expliqué l'essentiel, comme l'existence des diverses factions surnaturelles, les Treize rois et le comportement dévoyé soudain du roi Akyri, Marius.

Elle était maintenant silencieuse et son regard était fixé sur le feu que Roman avait fait naître dans le foyer. Thane pouvait seulement imaginer ce qui devait se passer dans sa tête.

Les choses allaient sans doute empirer avec ce qu'il était sur le point de lui dire.

— Je vous ramène au purgatoire, lança-t-il.

Il aurait aussi pu l'emmener dans le plan astral, puisque d'après ce qu'il en savait, seuls feu Charles Ward et Roman D'Angelo étaient des maîtres astraux capables de traverser ce plan particulier à part lui, et c'était un environnement bien moins hostile que le sien. Il pouvait même déployer ses propres Animes dans ce plan, alors il ne s'y retrouvait pas dénué de pouvoirs. Il demeurait cependant plus fort dans son propre royaume et à l'heure actuelle, il voulait pouvoir bénéficier de cet avantage supplémentaire.

Comme il s'y était attendu, elle le regarda avec de grands yeux et une colère à la hausse, en dépit de l'alcool qu'elle avait absorbé.

Il avait longuement réfléchi à l'approche qu'il devait employer pour la convaincre de l'accompagner. Au final, les mots de Steven Lazare à propos de son entêtement avaient joué un grand rôle dans sa décision. Si elle ne voulait pas y retourner pour *se* protéger, alors peut-être qu'elle le ferait pour protéger quelqu'un d'autre.

Après tout, elle avait passé plusieurs décennies sans utiliser le puissant pouvoir qu'elle portait en elle pour blesser une autre personne. Sachant à quelle fréquence les gens étaient tentés par la violence, sa retenue ne pouvait que prouver à quel point elle se souciait de l'humanité. Elle n'aurait pas été si contrariée par l'injustice du purgatoire si ce n'était pas le cas.

Alors Thane visa la veine jugulaire, la frappant là où ça comptait. Il continua donc avant qu'elle ne puisse soulever une objection.

— Marius a juré de se lancer à vos trousses. Tant que vous resterez ici, vous allez non seulement vous mettre en danger, mais vous ferez également de même pour toutes les personnes autour de vous.

Siobhan fit une pause au milieu de sa respiration. Elle ferma sa bouche, leva les yeux vers Roman, jeta un coup d'œil par-dessus son épaule vers la porte par laquelle les gardes étaient sortis et se retourna pour faire face à Thane de nouveau.

Il lui épargna de devoir reconnaître qu'il avait raison.

— Je vous en prie, revenez avec moi, Siobhan. Je promets de vous rendre la vie confortable jusqu'à ce que les autres rois et moi réglions le cas de Marius.

Il ne lui avait pas encore parlé de la pièce de jeu d'échecs qui reposait dans sa veste. Il la toucha maintenant en glissant sa main dans sa poche et elle roula sous son contact. Il ne lui avait pas davantage parlé des rêves qu'il avait faits à propos d'elle avant de la rencontrer.

Tout cela était précipité pour lui, cette progression rapide dans ce qui était sans doute les moments les plus importants de son existence, et il aurait voulu mettre la main au collet du destin et l'emmener derrière la cabane de jardin pour lui faire avaler ses dents.

— Ne m'en parlez pas, dit soudainement Roman de l'endroit où il se trouvait, appuyé contre une des bibliothèques, ses bras croisés sur sa poitrine.

Thane leva les yeux et leurs regards se croisèrent. Ils se comprirent sans se parler. Roman avait vécu la même chose avec Evelynne, sa propre reine.

À côté de lui, Siobhan se pencha sur un côté et regarda Roman avec un mélange de confusion et un soupçon de colère qu'elle ressentait en fait probablement envers Thane.

— Ne pas vous parler de quoi ? demanda-t-elle.

— De rien, intervint Thane.

Il tendit la main, l'agrippa doucement par le menton et tourna sa tête pour face à lui. Son regard croisa le sien et un frisson chargé d'une chaleur électrique le traversa.

C'était bon de la toucher comme ça. Il ressentait un sentiment de *puissance*. Une montée d'adrénaline déferla en lui, une sensation forte associée à quelque chose comme de l'anticipation, et pour la millième fois depuis qu'il l'avait rencontrée, il fut tenté de la toucher encore plus.

— Nous retournons à mon royaume, affirma-t-il d'un ton grave, personnel et déterminé.

Siobhan n'était toutefois pas le genre de femme qui aimait qu'on lui donne des ordres. Elle se libéra de son emprise et se poussa sur ses pieds. Elle tituba seulement un peu, sans doute étourdie par le brusque changement de position et l'alcool qu'elle avait dans le corps. Son regard brun se plissa et devint plus clair, adoptant une teinte ambrée.

— Je n'irai nulle part avec vous, roi des fantômes, déclara-t-elle d'un ton aussi déterminé que celui de Thane l'avait été.

Thane attendit en retenant son souffle. Il sentait qu'une bataille s'approchait aussi sûrement qu'un grondement sur une voie ferrée annonçait l'arrivée d'un train. Le roi des vampires observait la scène avec un intérêt silencieux de l'autre côté de la pièce.

— Si vous avez raison et que cet Akyri vient vraiment pour moi, continua Siobhan, la dernière chose que je veux est de représenter un danger pour quiconque autour de moi.

Thane remarqua un léger rougeoiement au bout de ses doigts. Ses yeux devenaient plus pâles encore, presque jaunes maintenant.

— Alors je partirai, affirma-t-elle, mais pas dans cette terre désolée que vous appelez un royaume. Si Marius me veut, il peut m'avoir. Je vais retrouver cet enculé par mes propres moyens et lui arracherai sa tête maudite.

Thane figea sur place. Il ressentit un choc, chargé de crainte, de colère et d'*admiration*. Il craignait de la perdre, il craignait pour sa vie et il craignait la confrontation qui approchait à l'horizon. Il était contrarié qu'elle soulève cet argument, qu'elle ne veuille pas entendre raison et qu'elle veuille se mesurer à un homme comme Marius sans son aide. Il y avait toutefois un certain respect parmi toutes ces émotions hostiles et exigeantes. Il l'admirait de faire ainsi face à ses problèmes de front. Il ne voulait pas l'admettre, mais c'était bel et bien le cas.

— Vous êtes une femme courageuse, admit Roman. Je vous l'accorde.

Thane et Siobhan se retournèrent pour le regarder. Il demeura là où il était, appuyé négligemment contre les livres derrière lui, ses bras toujours croisés sur sa poitrine.

— Mais comment pensez-vous affronter un homme comme le roi Akyri ?

Il attendit en faisant une courte pause avant d'ajouter :

— Utiliserez-vous votre magie ?

Siobhan sembla prête à répondre par l'affirmative sur-le-champ, mais la réalité de ce qu'il venait de dire la frappa une demi-seconde plus tard. Elle ne pouvait combattre Marius avec de la magie. Il ne ferait que l'absorber et il en serait plus fort, et non plus faible. En fait, c'était probablement ce que Marius voulait le plus au monde en ce moment : que la jeune Siobhan Ashdown utilise sa magie contre lui.

— Je…, hésita-t-elle en avalant sa salive avec difficulté. Eh bien, je…

Roman lui épargna cette incertitude prolongée.

— Vous pourriez avoir la chance de vaincre à peu près n'importe qui d'autre dans le monde. Enfin, n'importe qui à l'exception de Thanatos, ajouta-t-il en adressant un regard très légèrement amusé à Thane avant de se redresser, de se détacher ainsi de la bibliothèque et de glisser ses mains dans les poches de son complet. Mais Marius utilisera tout ce que vous avez contre vous, et vous perdrez.

Il se déplaça derrière son bureau, son regard dirigé vers le tapis sous ses souliers comme s'il réfléchissait à quelque chose.

— Ça, je peux vous le promettre.

Siobhan mordit sa lèvre et ferma ses yeux. Sa frustration était palpable.

— Alors que suis-je censée faire, merde ?

— Venez avec moi, lui dit Thane en attirant de nouveau son attention.

Il posa les yeux sur son regard maintenant doré et le soutint.

— Revenez à un endroit où je sais que vous serez en sécurité, réitéra-t-il, et puisqu'il ne pouvait s'en empêcher, il prit son doux et beau visage dans le creux de sa main et caressa sa pommette avec son pouce.

Il avait l'impression de tenir le paradis dans sa main.

Ses grands yeux s'adoucirent.

Il sourit.

— Et nous verrons ensuite ce que nous ferons.

CHAPITRE 20

— Qu'arrivera-t-il à Steven ? demanda Siobhan après avoir finalement accepté la proposition de Thane en hochant la tête et que ce dernier se préparait à ouvrir un portail pour qu'ils puissent tous deux retourner au purgatoire.

La question le prit de court. Il jeta un coup d'œil à Roman et leurs yeux se croisèrent.

Lorsque les quatre hommes (les trois rois et Lazare) s'étaient mesurés au roi Akyri, Steven Lazare n'avait pas donné l'impression de n'être qu'un autre étranger, comme il n'avait pas donné l'impression d'être un ancien détective ou même un simple demi-Akyri. Il avait donné l'impression d'être une partie essentielle de leur groupe. Comme un membre de la famille.

Thane n'avait aucune idée de comment il aurait pu le décrire autrement et il ne se faisait pas confiance pour tenter de retransmettre le sentiment à haute voix. À en juger par le regard que lui adressait Roman en ce moment, il était évident qu'il n'était pas le seul à avoir cette impression.

Steven Lazare avait été le premier à s'en aller suivant la disparition de Marius.

— Est-ce que Siobhan est en sécurité ? avait demandé l'Akyri tandis que ses yeux passaient du rouge au pourpre avant de revenir à leur bleu naturel.

Thane avait hoché la tête.

— Assurez-vous que ce soit toujours le cas, avait dit Steven.

Il avait ensuite reculé de quelques pas.

— Il y a quelque chose que je dois faire, avait-il affirmé, et comme s'il avait absorbé la magie et s'en était débarrassé pendant toute sa vie au lieu d'apprendre qu'il était un Akyri moins d'une heure plus tôt, il s'était téléporté hors de la maison en ruines juste comme ça.

Personne ne s'était demandé où il était parti. Il avait laissé une impression durable, mais les trois rois étaient en état de choc et en colère et n'avaient pas du tout hâte d'accomplir les tâches qui les attendaient. Roman les avait informés qu'ils devraient convoquer une réunion des rois et ils s'étaient tous téléportés au loin eux aussi.

— Je ne sais pas, avoua Thane.

Il se tourna vers Siobhan.

— Il n'a pas été blessé dans le combat et il est parti lorsque tout a été terminé. J'ai cependant le sentiment que nous allons le revoir.

Elle sembla satisfaite de cette réponse, car elle hocha la tête. Thane salua Roman en silence et souleva sa main droite en direction de la porte qui permettait de passer du bureau à la pièce suivante. Un portail se matérialisa.

Siobhan et Thane y entrèrent.

L'obscurité qui l'accueillait toujours dans les portails sembla étrange cette fois-ci. Siobhan se trouvait directement derrière lui, mais l'inexplicable étrangeté dans la préparation du portail l'obligea à tendre la main derrière lui et à la refermer sur son bras.

Elle fut surprise par cette action, mais elle ne libéra pas son bras. Il lui jeta un coup d'œil sous la forme onduleuse et plutôt irréelle qu'il avait à travers le miasme de l'obscurité du portail. Il pouvait à peine discerner les traits de son visage ; elle jetait un coup d'œil autour d'elle, manifestement agitée et incertaine.

Elle pouvait également ressentir l'étrangeté du lieu.

Devant lui, quelque chose vacilla comme si le portail devenait trop étiré, et il eut l'impression que plus d'air s'infiltrait dans la déchirure qu'il avait déjà créée.

Sa première réaction instinctive fut de revenir sur ses pas et de repousser Siobhan dans le bureau de Roman derrière lui. Il savait toutefois qu'un tel mouvement était impossible dans un portail. Ce serait comme d'obliger un oiseau à voler à reculons ; les lois de la physique surnaturelle ne fonctionnaient pas comme ça.

— Thane.

La voix incertaine de Siobhan était assourdie dans le portail. Le son y voyageait difficilement, comme tout le reste. Il sentit toutefois son autre main sur son bras et détecta qu'elle tremblait.

Puis, la seconde déchirure se produisit, et cela fut semblable à observer le négatif de la photo d'un éclair. Une fissure sombre s'étira le long du portail tourbillonnant devant eux, et l'obscurité du bas s'entrecroisa avec l'obscurité du haut. La force créée par cette détonation surnaturelle inversée les toucha.

Thane se retourna et tira Siobhan dans ses bras. Il fallait de la concentration et de la magie pour ouvrir un portail entre les dimensions et pour passer de l'une à l'autre. Le faire devenait plus facile avec les années. Ça devenait même une seconde nature.

Ainsi coincé sous l'emprise de cet événement surnaturel, Thane fut obligé de doubler et même de tripler ses efforts, se concentrant de toutes ses forces pour maintenir l'ouverture du portail assez longtemps pour qu'ils puissent le traverser malgré ce qui se passait sans que le portail se ferme sur eux. S'il devait se fermer, leurs corps seraient déchirés en lambeaux et jetés d'un bout à l'autre de l'Univers.

— Vous allez perdre à la fin, roi des fantômes, menaça une voix grave, grinçante et caverneuse.

Elle ressemblait à la voix de Marius sur certains aspects, mais l'étrangeté physique de leur environnement la modifiait, la transformant en quelque chose de complètement horrible.

Thane leva sa tête et regarda par-dessus son épaule. Un visage apparut dans le néant de la déchirure formée par la foudre derrière lui. Il vacilla comme la tête du magicien dans *Le Magicien d'Oz* puis il sourit.

— Vous n'avez aucune idée de ce à quoi vous êtes confronté.

Les yeux rougeoyants du visage imposant semblèrent se tourner pour ensuite regarder la femme qui se trouvait dans les bras de Thane. Elle souleva sa tête et les yeux comme si elle savait que le visage allait s'adresser à elle.

— Venez vers moi de manière volontaire, femme-sorcier, et je vous laisserai vivre. Je ne fais aucune autre promesse.

Siobhan fixa le visage vacillant et déformé avec de grands yeux. Sa prise sur le bras de Thane se resserra de peur et quelque chose en Thane réagit avec fureur. Il tourna sur lui-même, souleva sa main et libéra la magie qu'il avait stockée plus tôt cette nuit.

Chaque once de cette magie quitta précipitamment son corps. Il n'en avait jamais libéré depuis l'intérieur d'un portail auparavant et n'avait aucune idée de ce qui allait arriver.

*   *   *

Un avertissement sonore se fit entendre une fraction de seconde avant qu'il ne se mette à prendre de l'expansion. Les deux gardes vampires à qui Roman avait donné congé ouvrirent la porte en vitesse de l'autre côté de la pièce et se précipitèrent à l'intérieur, manifestement alerté par ce bruit nettement étrange.

Jaxon apparut également à côté de lui, mais l'estomac de Roman se noua et l'expérience qui accompagnait le fait d'être un roi responsable d'autres rois lui donna un avertissement. Il agit donc à la vitesse vampirique, repoussant Jaxon sur une distance de quelques mètres et utilisant un éclat de sa magie pour faire de même à distance avec les deux autres vampires tandis que le portail dans lequel Thane et Siobhan venaient d'entrer se gonflait comme un ballon.

Quelque chose fendit l'air et fit vibrer les murs du refuge, et le portail trembla. Roman était guidé par son instinct.

— Sortez d'ici! ordonna-t-il en beuglant.

Au même moment, il leur intima de ne pas se servir de la téléportation magique. Ses vampires lui obéirent sur-le-champ, chacun d'eux filant à la vitesse vampirique par les deux portes qui permettaient de sortir du bureau. Roman demeura dans la pièce en se positionnant sur un des côtés de celle-ci, ses yeux sombres braqués sur le trou sinistrement instable. Un bourdonnement émana de quelque part profondément en lui.

Il y eut un bruit de craquement, comme de la glace en mouvement sur un glacier, puis le portail se contracta rapidement. Un espace noir apparut toutefois à la droite de Roman au même moment, suivi d'un autre de l'autre côté de la pièce. Une partie de la bibliothèque disparut. Puis, il en fut de même pour une section du plancher. Des trous se mirent à apparaître partout dans la pièce à mesure que le portail tremblait et se refermait entièrement, aspirant au loin tout ce qui s'y trouvait précédemment.

Le cœur de Roman martela dans sa poitrine. Il n'osa pas bouger ni se téléporter au loin. Les trous cessèrent d'apparaître

quelques secondes plus tard, laissant trois espaces noirs fort
étranges qui s'ouvraient d'une manière béante dans le bureau et
menaient vers un certain endroit qui lui était inconnu.

Roman se retourna lentement sur lui-même en étudiant soigneusement les trous. Adoptant un air grave, il se demanda sur
quelle distance l'effet s'était étiré.

*   *   *

L'instinct de Siobhan fut de crier lorsqu'elle fut violemment projetée vers l'avant, mais l'impact souffla l'air de ses poumons.
Le monde s'emballa tandis qu'elle était projetée dans un espace
brillant et tourbillonnant.

Elle frappa le sol avec l'impression d'être engourdie, comme
si son cœur était déjà trop fortement endolori pour remarquer
ce nouvel affront. Après avoir roulé sur elle-même pendant ce
qui lui sembla durer une bonne minute, elle se retrouva face
première contre la poussière, les yeux fermés.

Les sensations lui revinrent peu à peu.

Une brise soufflait dans ses cheveux. Le sol était sec, craquelé
et poussiéreux sous son corps. Sa poitrine était sensible, mais
elle respirait. Elle bougea ses jambes puis ses bras, vérifiant lentement si elle avait des fractures.

Une main agrippa doucement son épaule et la tira, la faisant
rouler sur elle-même.

Elle cligna des yeux à cause du ciel trop brillant et ensuite à
cause de l'ombre qui se déplaça devant elle, lui bloquant la vue
du ciel.

Le roi des fantômes retira délicatement quelques particules
de poussière de sa joue et glissa une mèche de ses cheveux roux
derrière son oreille. Il était sur un genou à côté d'elle, les muscles

de ses bras et de ses jambes bien en évidence lorsqu'il se pencha au-dessus d'elle.

— Vous allez bien, la rassura-t-il, tant pour son bénéfice à elle que pour le sien.

Son regard se plissa.

— Comment le savez-vous ? le questionna-t-elle, légèrement furieuse.

Elle venait tout juste d'être projetée dans un portail à ce qui semblait être la vitesse de la lumière pour ensuite atterrir face première dans la poussière. Comment pouvait-il savoir qu'elle allait bien, merde ? Elle pourrait avoir une jambe brisée ou… ou… la rate perforée !

Il lui sourit, apaisant immédiatement une partie de sa colère.

— J'ai vu toutes les blessures connues des humains, rétorqua-t-il. Je sais à quoi le corps humain ressemble quand il est blessé.

Ses yeux l'examinèrent de la tête aux pieds.

— Et je sais aussi quand il ne l'est pas.

Un petit frisson parcourut le corps de Siobhan tandis qu'il l'examinait avec ses yeux gris argenté. La femme en elle se laissa scruter de manière inconsciente… et la femme-sorcier en elle voulut retirer ses vêtements pour que sa vue ne soit pas limitée.

Mais ce magnifique regard chargé de désir se souleva, la laissant quelque peu triste. Son expression faciale se renfrogna et elle suivit la direction de ses yeux tout en se redressant en position assise.

Un *trou* noir, faute d'un meilleur terme, se trouvait à plusieurs mètres d'eux au milieu du désert, un espace stygien rempli de néant là où il y avait autrefois de la poussière, du sable et même une partie de ciel. Il y en avait également un autre environ une douzaine ou une quinzaine de mètres plus loin.

Siobhan se leva lentement, permettant à Thane de l'aider à se relever, mais ce faisant, son regard longea l'horizon. Trois… quatre… cinq. Ces espaces noirs et vides s'étiraient inexplicablement aussi loin que ses yeux lui permettaient de voir. Ce qui avait autrefois été un paysage désolé et intact était maintenant criblé de trous comme c'était le cas pour le fromage suisse.

— Mais qu'est-ce que c'est ? murmura-t-elle.

— Les ténèbres, répondit Thane d'un ton grave. Quand j'ai jeté le sort dans le portail, ce dernier a buté contre ce qui peut bien se trouver du côté de Marius. Peu importe où il est, peu importe avec qui il fait affaire, continua Thane en secouant la tête, c'est maléfique. Et une partie de cela a fui du portail.

CHAPITRE 21

— Il ne peut pas vous atteindre ici, alors il est passé à l'attaque dans le portail. Il devient de plus en plus téméraire, reconnut Thane. Je dois voir sur quelle distance s'étendent les dommages, expliqua-t-il par-dessus son épaule tandis qu'il se dirigeait vers la grande porte de métal qui menait à son garage défiant la logique par rapport à sa dimension intérieure. Le moyen le plus simple de le faire est d'enfourcher une moto pour évaluer le tout.

Le roi des fantômes retira une fois de plus sa veste en cuir noir. Elle était couverte de poussière et lorsqu'il l'enleva, un petit nuage de cette substance se forma dans l'air. Il la frappa distraitement contre le côté de son corps pour en retirer la poussière, chaque centimètre de son corps représentant tout ce qu'il y avait de plus masculin. Ses muscles fléchissaient et se gonflaient tandis qu'il se déplaçait, et Siobhan sentit ses dents se serrer très fortement.

Bon Dieu, pensa-t-elle en glissa sa main dans ses cheveux. *J'ai besoin d'une douche froide.* Elle avait depuis longtemps trouvé comment utiliser sa magie pour que son corps demeure propre, lui évitant ainsi de devoir se doucher pendant de longs voyages. Mais là, tout de suite, c'était la partie *froide* de la douche qui l'intéressait le plus.

Les tatouages de Thane étaient maintenant différents de ce qu'elle avait aperçu plus tôt. Les couleurs vives du phœnix et du dragon avaient disparu. Elles avaient été remplacées par de tout aussi magnifiques et saisissants tatouages tribaux noirs qui s'enroulaient sur ses biceps et jusque sous ses manches courtes. La différence était suffisamment étonnante pour la distraire momentanément du spectacle appétissant qu'il représentait à ses yeux tandis qu'il finissait d'ouvrir la porte.

Il se redressa et se tourna vers elle une fois sa tâche terminée. Ses yeux étaient vifs dans la semi-obscurité du garage à côté de lui. Ils tombèrent sur elle comme s'il la marquait au fer.

— Venez à l'intérieur et je vais vous offrir quelque chose à boire, dit-il.

Il l'observa pendant quelques secondes de plus, comme s'il réfléchissait à quelque chose, puis il se glissa dans l'obscurité et disparut.

Siobhan jeta un coup d'œil par-dessus son épaule au paysage parsemé de ces trous sinistres. Elle se demanda où ils menaient, sachant avec certitude que si elle se glissait dans l'un d'eux, elle sortirait à l'autre bout, là où Marius se trouvait.

Elle se demanda s'il pourrait utiliser ces trous de la même manière. Pourrait-il y entrer de *son* côté ? Se présenterait-il maintenant avec une armée d'Akyri derrière lui ? Le paysage désertique était toutefois calme en ce moment à l'exception du son creux du vent. Et d'une façon ou d'une autre, elle savait qu'il ne pourrait pas le faire.

Elle se retourna, respira à fond et se dirigea vers le garage. Thane avait eu le temps d'allumer les lumières à l'intérieur, et les ampoules halogènes des plafonniers projetaient une lumière qui se reflétait sur le chrome poli et la peinture des véhicules.

Thane n'était pas dans le garage, s'étant probablement glissé dans la maison pour aller chercher à boire, alors Siobhan se permis de marcher entre les véhicules et de les regarder avec soin. Ils semblaient s'étirer à l'infini, leurs forces et leurs couleurs magnifiques se dissipant dans l'obscurité de la longueur sans fin du garage.

Elle passa devant la Delahaye, la BMW, la Maserati et la Brough Superior qu'elle avait vues plus tôt, leur jeta des regards d'admiration bien mérités et continua sa progression. Des véhicules de toutes les décennies étaient alignés et garés à des distances égales les uns des autres. Des motocyclettes se glissaient entre les voitures et les camions, certaines juchées sur des plates-formes comme si elles étaient simplement exposées, et d'autres reposant seulement sur leurs béquilles, comme si elles avaient été utilisées récemment.

Ces véhicules étaient tous stupéfiants. Pas une éraflure ou une tache, tous couverts de chrome brillant et porteurs de possibilités infinies.

Elle s'était avancée bien loin dans le garage et avait perdu toute notion du temps lorsque ses yeux s'agrandirent et que son corps figea sur place. Une vive lueur d'excitation l'illumina de l'intérieur tandis qu'elle demeurait immobile à fixer du regard la moto devant elle.

Elle n'en avait seulement vu qu'une auparavant, sur eBay, alors qu'elle recherchait des antiquités à réparer. C'était une Vincent Black Lightning et puisqu'elle avait un faible pour les plus vieilles choses, la Lightning et sa devancière, la Vincent Black Shadow, étaient ses premières amours en matière de moto. Le moteur de la Vincent avait déjà été le plus puissant jamais créé, capable d'atteindre une vitesse de 200 km/h à la fin des années 1940, ce qui était du jamais vu à cette époque. C'était toujours rapide, même selon les standards actuels.

C'était une moto magnifique, d'un noir brillant et légère comme l'air, réduite à ce qu'elle avait d'essentiel dans le but d'atteindre la plus grande vitesse possible. C'était ce que certains mordus de motos appelaient une « brute », car aucune considération n'avait été accordée au confort. Seulement au vent.

Elle ne pouvait pas s'empêcher de la toucher. Les guidons appelaient la prise de ses mains, la selle, ses jambes entrouvertes. Elle se sentit étrangement dévergondée juste à la regarder.

— Embarquez, l'enjoignit une voix décontractée à ses côtés.

Siobhan sursauta et leva les yeux au-dessus de son épaule. Ses yeux bruns se fixèrent sur les yeux argentés de Thane. Il était si près d'elle, sa poitrine presque appuyée contre son dos. Elle se demanda depuis combien de temps il était là à l'observer.

Elle tenta de calmer son cœur, mais sa proximité était intoxicante. Elle lécha ses lèvres et remarqua que son regard était passé rapidement sur sa bouche.

— En êtes-vous sûr ? demanda-t-elle doucement.

Ne quittant toujours pas sa bouche des yeux, Thane lui répondit les pupilles dilatées.

— Affirmatif.

La sensation d'ivresse qu'elle obtenait de lui s'intensifia et ses doigts comme ses orteils picotèrent tandis qu'elle se retournait pour faire face à la moto. Avec l'adresse de quelqu'un qui avait chevauché plusieurs motos dans ses quelques années d'existence, elle se dirigea vers son côté gauche et elle balança son pied droit par-dessus la monture.

La femme-sorcier malicieuse en elle s'obligea à faire ce mouvement avec lenteur, étirant sa jambe et prenant place sur la selle en mettant en évidence la courbe séduisante de ses hanches.

Thane était à côté d'elle de nouveau, s'approchant telle une bête tatouée et vêtue de noir séduisante comme pas un. Il enfourcha le pneu avant de la moto et posa ses mains sur les siennes sur le guidon, propulsant un frisson semblable à un bourdonnement dans ses bras et jusqu'à sa poitrine. Ses mamelons se durcirent contre le tissu de son soutien-gorge.

— Depuis combien de temps savez-vous conduire une moto ? demanda-t-il.

Ses yeux étaient fixés sur les siens aussi solidement que des chaînes de fer.

— Environ 15 ans, lui dit-elle.

Le coin de sa bouche tiqua et sa prise sur ses mains se resserra. Il semblait satisfait de sa réponse.

— Pouvez-vous conduire une moto comme vous conduisiez votre Mustang ?

Son regard brillait d'espièglerie inexprimée.

Siobhan se demanda si elle devait lui répondre, mais il avait un certain ascendant sur elle et même si elle décidait de ne pas le faire, il lui serait impossible de ne pas lui dire la vérité désormais. Elle hocha la tête. Elle pouvait faire ce qu'elle voulait avec un véhicule. C'était un des rares domaines où elle laissait sa magie s'exprimer.

— Oui.

Il souriait à présent, et les magnifiques traits de son visage adoptèrent un air malfaisant. Ses canines étaient allongées, blanches et incroyablement pointues.

— Voici une idée, lança-t-il en se penchant légèrement vers l'avant, occupant ainsi la totalité de son champ de vision. Je vous propose un marché. Vous prenez cette moto et moi, je prendrai la Shadow, indiqua-t-il en désignant d'un geste de la tête la moto qui n'était qu'à quelques mètres d'eux et qu'elle n'avait même pas remarquée parce qu'elle avait été si absorbée par la Lightning.

C'était la Vincent Shadow, qui était la devancière plus volumineuse de la Lightning.

Son regard revint vers Thane, ses yeux bien grands sur son visage. Son sourire était impitoyable.

— Si vous parvenez à me devancer, je dormirai sur le divan cette nuit, promit-il.

Siobhan figea sur place, son cœur battant la chamade.

— Mais si je vous rejoins, l'avertit-il, vous partagerez mon lit avec moi.

Le monde bougea légèrement sous les pieds de Siobhan tandis que ses paroles atteignaient son cerveau, et elle sentit le sang refluer de son visage. Au même moment, ce sang sembla se précipiter partout ailleurs, faisant rougir sa poitrine et son cou, transformant ses mamelons déjà bien durs en deux petites bosses douloureusement tendues et réchauffant la région sous son ventre comme si elle venait de consommer un aphrodisiaque.

Il n'allait toutefois pas lui donner le temps de faire preuve de modestie ou d'embarras. Il lui demanda plutôt sans plus attendre :

— Alors, qu'en dites-vous, femme-sorcier ? Avons-nous un marché ?

Siobhan ne put que le regarder en clignant des yeux pendant un moment, puis quelque chose en elle s'alluma, un des morceaux de son casse-tête laissa la place à un autre, et le côté malicieux en elle revint de nouveau à l'avant-plan.

— Et si je refuse ? demanda-t-elle, son regard se plissant et ses lèvres formant une petite moue.

Les pupilles argentées de Thane se dilatèrent complètement.

— Nous partageons le lit de toute façon.

— Très bien, accepta-t-elle en tentant de simuler un courage qu'elle ne ressentait absolument pas.

Elle utilisa un peu de magie comme si elle avait voulu mettre de l'emphase sur cette imposture. La moto entre ses jambes gronda en prenant vie grâce à sa sorcellerie, vibrant délicieusement entre ses longues jambes fortes.

— Où traçons-nous la ligne ? demanda-t-elle en sachant qu'ils ne pourraient pas rouler pour toujours.

Ses mots avaient toutefois un double sens.

Le sourire de Thane s'agrandit.

— Vous le saurez quand vous y serez, énonça-t-il. Il y a deux règles, continua-t-il, sa voix grave dominant illogiquement le son de la moto. Évitez les ténèbres, l'intima-t-elle en référant aux trous noirs qui criblaient maintenant le purgatoire. Et n'envisagez même pas de tenter de quitter ce royaume.

Le regard de Siobhan fut attiré par l'éclat de ses canines derrière ses lèvres. Elle se demanda distraitement comment elle pourrait quitter son royaume, mais elle ne lui posa pas la question. Elle se contenta plutôt de hocher la tête.

Thane se redressa en se relevant du pneu de la moto. Il se dégagea de la roue, libéra ses mains où elles se trouvaient sur le guidon et s'approcha de la Vincent Shadow. Elle le regarda enfourcher la moto, une fois de plus conquise par l'attraction ridicule de sa virilité gracieuse.

— Je vais vous accorder une longueur d'avance, précisa-t-il, puis pour la première fois depuis leur rencontre initiale, le roi des fantômes offrit à Siobhan une démonstration tangible de ses pouvoirs.

Il avait la pleine maîtrise sur tous les aspects de son royaume, et il le démontra en soulevant sa tête et en concentrant son regard vif sur les voitures et les motos qui les séparaient de la porte de garage. L'un après l'autre, les véhicules disparurent puis réapparurent ailleurs dans le garage. Ce dernier sembla bouger autour d'eux, créant de l'espace pour recevoir les véhicules et offrant un passage dégagé à Thane et à son invitée en direction de la sortie.

Siobhan aspira sa lèvre inférieure dans sa bouche, jeta un coup d'œil dans la vaste étendue qui s'offrait à son regard au-delà du garage et sentit le grondement de la moto entre ses jambes. Le moteur semblait se faire le miroir de sa volonté intérieure. *Je peux le faire*, pensa-t-elle. Il était hors de question qu'elle perde. Elle avait des années et des années de magie en réserve, *attendant* seulement un événement de ce genre.

D'accord, roi des fantômes, se dit-elle. *Préparez-vous à la poursuite de votre vie.*

Mais lorsqu'elle jeta un coup d'œil par-dessus son épaule et croisa son regard, sa confiance rencontra un dos d'âne et son estomac remonta dans sa gorge. Les lumières du garage semblaient avoir perdu en intensité ; des ombres étaient projetées sur son visage, le faisant paraître sombre et affamé. Le sourire sur ses lèvres donna à Siobhan l'impression qu'il savait ce qui occupait ses pensées et qu'il ne lui accordait réellement aucune chance de l'emporter. Il révélait également qu'il allait vraiment être heureux de lui en faire la démonstration.

Il y avait également une lueur rouge au centre de ses pupilles.

Comme un feu.

— Vous d'abord, dit-il d'un air provocateur en faisant vrombir le moteur de sa moto, lui lançant un défi direct.

Siobhan le regarda pendant deux autres secondes, puis elle se retourna en vitesse, ramena la béquille sous sa moto et lança cette dernière en direction du désert.

CHAPITRE 22

Le regard de Thane s'obscurcit lorsqu'il regarda Siobhan quitter le garage en vitesse devant lui, faisant voler de la poussière derrière sa roue arrière. Ses mains formèrent des poings serrés autour de son guidon alors qu'il accélérait à fond. *Vous ne dupez personne, petite femme-sorcier.* Il savait fichtrement bien qu'elle avait utilisé sa magie pour tenter de le devancer. En fait, il comptait sur ça. Et il savait qu'elle l'utilisait déjà.

Cette parcelle supplémentaire de défi et sa détermination malicieuse étaient comme de l'essence projetée sur le feu qui faisait déjà rage en lui.

Elle était sa reine. Il le savait déjà depuis un moment, mais le petit « cadeau » de Lalura l'avait fermement confirmé. Le royaume de Thane était énorme et infini, mais il n'avait désormais plus à supporter sa vaste étendue désolée tout seul. Siobhan était capable de changer son monde entier. Il en avait déjà eu la preuve. Elle n'avait passé que quelques minutes dans le purgatoire que ses capacités inhérentes de meneuse avaient déjà commencé à suinter. Elle avait totalement pris les rênes en main, aidant les Animes à surmonter leur chagrin et à passer à autre chose.

La petite femme-sorcier était pratiquement *faite* de magie. Sa capacité de résister à l'influence désolée du purgatoire coulait dans ses précieuses veines. C'était *en* elle. Elle pourrait non seulement survivre ici, mais également *s'épanouir*. C'était pourquoi il avait confiance en elle, sachant qu'elle serait en mesure d'éviter toutes les taches sombres qui jonchaient ses terres pendant qu'elle serait sur sa moto. Ses habiletés et sa magie étaient de son côté. La démonstration de savoir-faire qu'elle lui avait offerte sur la route 107 avait été un petit aperçu de ses capacités. Elle avait ça dans le sang.

Il avait su qu'elle était quelque chose de sacré dès l'instant où il avait posé les yeux sur elle. Il n'avait simplement pas reconnu ce qu'était cette chose sacrée.

Mais il le savait maintenant, et de savoir qu'il avait trouvé un être magnifique capable de passer le reste de sa longue existence avec lui avait un effet profond sur Thane.

Le fait qu'un autre homme veuille l'éloigner de lui avait un effet tout aussi profond.

Quelque chose en Thane avait atteint un point d'ébullition au moment où Marius avait traversé les frontières du portail pour atteindre Siobhan. Puis, le roi Akyri s'était adressé à elle personnellement, la menaçant de mort à moins qu'elle ne se rende à lui d'une manière volontaire. Thane avait alors vu rouge. Il n'avait jamais perdu la maîtrise auparavant.

Mais à ce moment, c'était comme s'il avait littéralement été en mesure d'entendre une corde se briser en lui. Il y avait d'abord eu le son d'une corde qu'on étirait jusqu'à son point de rupture suivi d'un silence menaçant, et ensuite, elle s'était rompue avec fracas et il avait projeté tout ce qu'il avait en lui à l'image de cet homme qu'il détestait soudainement plus qu'il avait jamais détesté quiconque dans sa très longue vie.

Siobhan et lui avaient été projetés lorsque les vannes du barrage de magie avaient été ouvertes. Elle avait été arrachée à sa poigne à la toute dernière seconde et il avait alors senti que tout ce qu'il avait jamais voulu lui glissait entre les doigts. Lorsqu'il avait donné contre le sol et roulé sur ce dernier, il s'était aussitôt relevé sur ses pieds bottés et n'était même pas parvenu à respirer tant qu'il n'avait pas constaté qu'elle était tombée à seulement quelques mètres de l'endroit où il se trouvait.

Il était sur un genou à ses côtés avant même de se rendre compte qu'il avait bougé, et le monde avait à nouveau eu un sens pour lui lorsqu'il avait vu sa poitrine se soulever et s'abaisser.

Il n'avait pas encore compris *totalement* à quel point elle était vraiment importante avant ce moment-là. À quel point elle était *essentielle*. Pas seulement pour le monde et son royaume, mais aussi pour son propre cœur.

Pour *lui*.

De très nombreuses émotions tourbillonnaient et se déchaînaient maintenant en lui. Il devait comprendre ce qui avait bien pu se passer dans son royaume quand sa magie était entrée en collision avec celle de Marius dans ce portail. Il se demandait également si le choc avait affecté un autre royaume. Il ne pouvait cependant plus se téléporter. En tout cas, pas pour le moment. Les dieux seuls savaient ce qui se passerait s'il tentait d'ouvrir un autre portail dans le temps et l'espace avec toute cette magie instable qui criblait son paysage.

Il était coincé ici pour le moment, et la bête protectrice en lui avait été libérée de sa cage. Et sa reine rousse au sang de feu et au cœur sauvage faisait naître chez cette bête un désir débridé.

Un sourire maléfique se dessina sur les lèvres de Thane. Il sentit la pointe de ses canines derrière elles. Elle se sauvait de lui maintenant. C'était vraiment trop parfait. Sa femme qui faisait le lièvre dans un plan qu'il maîtrisait comme un esclave. Elle pourrait jeter tous les sorts qu'elle voulait et il les absorberait, les ignorerait ou les retournerait pour les utiliser contre elle. Qu'elle se vide elle-même.

Il releva sa béquille et décolla du garage avec une fureur digne d'un roi. De la fumée et des cendres surnaturelles jaillirent derrière lui alors que sa moto commençait à se transformer sous lui.

Il serait tout juste derrière elle lorsqu'elle serait faible et épuisée. Elle n'aurait aucun endroit où aller, aucun endroit où se sauver.

Le moteur grossit, les tuyaux s'allongèrent et le pot d'échappement de la moto adopta une teinte rougeâtre comme si les bêtes de l'enfer respiraient à travers lui.

Un petit nuage de poussière au loin lui donna la position de Siobhan. Le roi des fantômes fonça sur elle tel un dragon sur son repas, sa vision lui offrant des contrastes saisissants. Le soleil avait commencé à se coucher dans le ciel, peignant l'horizon d'un rose-orangé graduel. Il se servit de sa magie pour accélérer le coucher du soleil, sachant que Siobhan serait bientôt dans l'obligation d'utiliser son phare dans l'obscurité. Ce serait un nouvel avantage pour lui.

Il rit sous cape, et le son de son rire se répercuta dans le grondement maléfique de sa moto démoniaque.

Il en avait assez de jouer franc-jeu.

* * *

C'est fou, pensa-t-elle alors qu'elle se penchait et que la Vincent Lightning sous elle se penchait avec elle, contournant magnifiquement encore une autre déchirure étrange et sombre dans l'espace. Elles étaient moins nombreuses et plus espacées entre elles, et elle avait le sentiment qu'elle franchirait bientôt son dernier trou noir.

Ces trous étaient toutefois le moindre de ses soucis.

C'était ce qu'elle ressentait à ce moment, alors que le soleil commençait à se coucher et qu'elle sentait le roi de ces terres foncer vers elle. Elle était certaine qu'il lui avait donné plusieurs longueurs d'avance, mais elle ne vit personne derrière elle lorsqu'elle regarda par-dessus son épaule.

Et pourtant… C'était presque comme si elle pouvait sentir son souffle sur son cou, sa main glisser sur son torse… son genou entre ses jambes pour les écarter.

Siobhan secoua sa tête, tentant désespérément de la libérer de ces pensées. Le roi des fantômes la prendrait dans son lit si elle ne lui échappait pas.

Oh merde alors, pensa-t-elle, ses yeux bien grands, ses cheveux fouettant autour d'elle comme les voiles à la tension relâchée d'un bateau dans une tempête. *Mais à quoi diable est-ce que j'ai pu penser ?* Qu'avait-elle fait ? Quel genre de personne venait tout juste de conclure un tel marché, venu de nulle part ? Pas elle !

Elle se sentait comme une adolescente, mais pas comme n'importe quelle adolescente. Comme une adolescente vraiment stupide qui avait par ignorance mangé la totalité des fruits imbibés d'alcool au fond d'un bol de punch.

Siobhan risqua un autre coup d'œil au-dessus de son épaule et elle vit cette fois-ci quelque chose qui lui coupa momentanément le souffle tout en augmentant le rythme des battements de son cœur.

Un deuxième nuage de poussière se dressait à l'horizon, mais celui-ci était sombre, comme de la fumée.

Elle savait que c'était lui. Elle savait *qu'il* savait qu'elle envisageait d'utiliser sa magie pour lui échapper et qu'il envisageait de la contrer avec sa propre magie ; et il lui en faisait la démonstration en ce moment. Ce qui s'approchait d'elle n'était pas la Vincent Shadow. C'était plus gros. Plus rapide. Et elle ne pourrait jamais le dominer, dans aucun royaume.

Je suis foutue, pensa-t-elle en se retournant et en tentant frénétiquement de penser à la meilleure utilisation possible de sa magie en ce moment précis. Elle ressentait une désespérance particulière. Elle avait l'impression d'être poursuivie par un monstre, un cauchemar vivant. Ce royaume, ses morts et le fait que le roi portait le nom de « fantôme » n'aidaient en rien à réprimer la sensation troublée qui croissait dans son ventre.

En même temps, une petite partie d'elle ne pouvait s'empêcher de se demander à quoi le roi des fantômes ressemblerait sans aucun vêtement sur le dos... se soulevant au-dessus d'elle, ses bras puissants appuyés sur le lit de chaque côté d'elle, ses yeux de foudre luisant dans le cadre irrésistiblement beau de son visage.

C'était cette petite partie d'elle, *courageuse* et désespérément *excitée,* qui semblait être en ce moment en selle sur sa moto.

Siobhan laissa échapper un fort bruit de frustration et agrippa le guidon avec plus de force, serrant ses dents comme si elle pouvait obliger cette partie d'elle à se taire et bien se tenir. Ses efforts furent vains, et son anticipation augmenta tout comme sa peur.

Le temps est venu de jeter un sort.

Sa femme-sorcier se réveilla en repoussant la mortelle, et Siobhan sentit ses yeux se réchauffer dans son visage. Elle baissa les yeux et vit que ses doigts commençaient à rougeoyer, se réchauffant là où ils tenaient le guidon de sa moto. Et elle laissa les choses se produire.

Elle prit une longue inspiration pour se calmer les nerfs puis elle poussa l'accélérateur à fond en laissant le côté sombre en elle prendre le dessus. La moto accéléra. Tout comme sa Mustang l'avait toujours fait pour elle, ce véhicule se nourrissait de son pouvoir, produisant des chevaux-vapeur supplémentaires et les transformant en couple.

Le sol craqua dans son sillage. Une fissure se dessina en vitesse à travers la terre desséchée puis se sépara ensuite dans une direction perpendiculaire. Siobhan ne regarda jamais derrière elle ; elle savait ce qui se passait. C'était elle qui en était responsable.

Les fissures s'élargirent jusqu'à devenir semblables à des failles, puis elles s'écartèrent et s'approfondirent jusqu'à ce qu'un véritable canyon la sépare de la terre derrière elle, et avec un peu de chance, fasse de même avec son motocycliste solitaire.

Elle n'allait cependant pas s'arrêter là. Le roi des fantômes possédait ce royaume ; si elle voulait le vaincre dans leur petit jeu, elle devrait agir sur tous les fronts et ne pas cesser de le faire jusqu'à ce qu'elle soit certaine d'avoir atteint la « ligne d'arrivée ».

La nuit se mit à tomber sur le purgatoire et Siobhan se rendit compte qu'elle avait dépassé le dernier trou noir depuis un bon moment. Il n'y avait plus que le désert devant elle. Des étoiles et ce qui ressemblait à des *planètes* aux couleurs de l'arc-en-ciel se mirent à faire leur apparition, basses et énormes dans le ciel de la nuit à l'horizon indigo.

Siobhan alluma son phare. Elle savait que la lumière ne ferait qu'aider Thane à la retrouver, mais elle en avait besoin pour voir où elle allait. Elle pourrait gaspiller beaucoup d'énergie en se fiant à sa magie pour la guider, mais elle voulait faire d'autres choses avec cette dernière.

La Vincent Lightning qu'elle avait toujours voulu avoir et qu'elle avait finalement l'occasion de chevaucher commença à se transformer sous son corps. Elle se concentra et le cadre de la moto se modifia, s'étirant et se modelant jusqu'à ce qu'il soit devenu quelque chose d'entièrement différent. La forme du cadre était maintenant si dissemblable à la beauté classique de ce qu'elle avait été quelques secondes auparavant que Siobhan fut dans l'obligation de bouger son corps et de s'adapter en cours de transformation.

La selle se déplaça, se retrouvant maintenant vers l'arrière du véhicule monstre. Le guidon était étiré vers l'avant, l'obligeant à arquer son dos et à incliner sa poitrine vers l'avant jusqu'à ce qu'elle retrouve presque les seins contre le chrome de la moto.

La Dodge Tomahawk était la moto la plus rapide jamais conçue. Son moteur 10 cylindres totalement ridicule était capable de produire 500 chevaux-vapeur et lui permettre d'atteindre une vitesse de près de 560 km/h.

Elle ne pourrait jamais faire rouler sa Lightning aussi vite. Elle était également plutôt convaincue que son propre esprit se rebellerait à l'idée de dépasser les 300 km/h, mais il y avait quelque chose à propos du fait de disposer de cette puissance à tout hasard qui plaisait énormément à Siobhan à ce moment-là.

Son corps crépitait avec passablement de magie maintenant. C'était comme si quelqu'un se réveillait d'un long sommeil pour se retrouver au centre de Times Square la veille du jour de l'An. Il était temps de faire la fête, et la femme-sorcier en elle était prête.

Elle n'osa plus regarder derrière maintenant. Ça ne lui servirait à rien. Si Thane était toujours là, elle n'ajouterait pas de distance entre eux simplement en risquant un coup d'œil par-dessus son épaule. Elle ne ferait alors que perdre du temps, s'octroyer une bonne frousse et possiblement détruire sa moto.

Elle se concentra plutôt sur ce qu'il y avait devant elle. Elle n'avait pas vraiment le choix. La vitesse de la moto entre ses jambes augmentait et filait maintenant si vite que le monde commençait littéralement à devenir flou de chaque côté d'elle. Le vent tirait si fort sur ses cheveux qu'elle se demanda si elle allait en perdre quelques-uns pendant cette promenade. Elle pensa ralentir pendant une demi-seconde.

Elle savait toutefois qu'elle perdrait si elle le faisait, et la défaite n'était pas dans son ADN.

Continue, se dit-elle. Elle s'abandonna à la femme-sorcier en elle et baissa sa tête tandis qu'elle sortait de ses ténèbres.

Ne le laisse simplement pas me rejoindre, commanda-t-elle.

Siobhan ressentit la sensation hypnotique et quasi orgasmique que le fait de se soumettre entièrement à la magie noire lui procurait lorsque sa propre voix sensuelle sembla murmurer les paroles suivantes : *Je m'en occupe, bébé.*

CHAPITRE 23

Elle était intelligente. Il lui accorderait ça. Elle apprenait rapidement.

Le problème était qu'elle croyait qu'il y avait une différence entre Thanatos et la dimension qu'il gouvernait. Elle avait déjà eu la preuve que de lui jeter des sorts directement ne l'aiderait en rien, mais elle croyait à tort que cela s'arrêtait là, que sa capacité d'aborder le pouvoir était limitée au bout de ses doigts.

Ce n'était pas le cas.

Le royaume des Animes et son roi ne faisaient qu'un. Et lorsque Siobhan se servait de sa magie avec le territoire, Thanatos l'engloutissait à mesure.

Le gouffre était une bonne idée, pensa-t-il. Il l'aurait peut-être ralenti s'il avait eu quoi que ce soit d'humain en lui, et la bête en laquelle elle avait transformé sa Vincent était réellement en train de gagner en vitesse, mais il chevauchait son propre monstre de métal qui crachait maintenant le feu.

Thane éclata de rire, et le son de ce dernier se répercuta partout dans le royaume, teinté d'intentions maléfiques. Il savait qu'elle pouvait l'entendre. Il savait qu'elle en serait stimulée.

Le soleil s'était couché grâce à son intervention et il se rapprochait de son phare à une vitesse approchant les 400 km/h. Il savait que si ce royaume avait été le vrai monde et que Siobhan et lui n'avaient pas été des êtres magiques, le simple fait de retourner la tête leur aurait sans doute cassé le cou. Les vents qu'ils enduraient étaient plus puissants que ceux qu'un ouragan de catégorie cinq.

Ils étaient toutefois entourés d'une couche mystique qui s'étendait à la totalité du territoire du purgatoire. Ce n'était pas le monde réel. Ce n'était pas le temps réel.

Surtout lorsque Thane décida que la poursuite avait assez duré.

Ses veines étaient inondées par la puissance de la femme-sorcier, volée à même les sorts que la petite utilisatrice de la magie continuait de jeter sur le monde autour d'elle. Il était ivre de cette puissance, totalement sous l'effet de son désir et d'une colère résiduelle, et poussé par l'instinct de prédateur à pourchasser ce qui se sauvait de lui. Alors que ce cocktail émotionnel chauffé à vif enflait et palpitait dans son grand corps, Thane replia l'espace devant lui, déformant la distance qui le séparait du phare loin devant lui jusqu'à ce que Siobhan se retrouve à environ 25 mètres de lui.

Il sentit sa magie pulser en guise de réponse. Un énorme rocher apparut si près devant lui qu'il eut à peine le temps de faire une embardée pour l'éviter. C'était une réaction instinctive, puisqu'il aurait tout aussi facilement pu le traverser de part en part. Peut-être savait-elle toutefois que son instinct serait aux commandes ; peut-être comptait-elle sur lui pour le ralentir.

Thane redressa la moto sous son corps alors que de la poussière et de la fumée volèrent dans les airs. Moins de trois secondes s'écoulèrent avant qu'elle ne lui jette un nouveau sort, cette fois sous la forme d'un bosquet qui germa spontanément hors du sol dégarni, ses grosses racines propulsées vers le haut comme la tige du haricot magique de Jack.

La moto monstre de Thane hurla lorsqu'il passa à la vitesse supérieure pour échapper à une racine zigzagante qui se dirigeait vers lui et qui tentait de traverser sa roue arrière. Au même moment, il se pencha fortement sur le côté, dirigeant sa moto à l'écart de l'arbre véritable qui se tordait devant lui.

Les arbres se multiplièrent et s'étendirent devant lui comme une forêt. L'image lui rappela une scène d'horreur d'un film de Tim Burton, où chaque arbre étrange était vivant et se tordait devant lui, chaque branche et chaque racine décidée à l'atteindre. L'effet était suffisamment déconcertant pour qu'il soit sur la défensive, surtout à la vitesse qu'il maintenait.

Il sourit d'un air grave. Il avait sous-estimé à quel point elle aurait de bonnes idées pour le contrer.

Animé d'une impatience grandissante, Thane projeta un éclat du pouvoir accumulé devant lui, retournant ainsi la propre magie de Siobhan contre elle tandis qu'il enflammait chaque arbre entêté et sinistre de la racine au sommet. L'incendie siffla à la vie, illuminant l'horizon et faisant rougeoyer le ciel de la nuit. Il dévora la forêt magique à grande vitesse, la réduisant en cendres en quelques secondes tout en libérant la voie devant lui.

Il éperonna sa monture qui passa à une vitesse fulgurante, réduisant la distance entre lui et sa belle proie avec une accélération surnaturelle. Thane vit les cheveux roux de Siobhan voler derrière elle alors que cette dernière l'avait sans doute entendu se rapprocher d'elle avant de jeter un regard imprudent par-dessus son épaule. Le sourire de Thane s'agrandit. La nervosité s'emparait d'elle.

L'excitation brûlait dans ses veines, éveillant chacune de ses terminaisons nerveuses et faisant battre son cœur comme jamais. Les choses qu'il allait lui faire...

Il sembla toutefois qu'elle n'avait pas encore abandonné, car le sol sous la moto de Thane se transforma soudainement au niveau moléculaire, passant d'un état solide à un état liquide. La moto se lamenta de colère et du sable mouvant fut projeté dans toutes les directions tandis que sa roue arrière s'enfonçait dans la crasse, tournant sur elle-même d'une manière extravagante. Un peu plus loin devant lui, Siobhan continua de foncer vers l'avant, ajoutant de nouveau à la précieuse distance qui les séparait.

Les canines de Thane palpitaient, ses mains lui faisaient mal là où elles avaient agrippé le guidon et chaque muscle de son corps se gonflait de force tandis qu'il se concentrait de nouveau sur son pouvoir pour sortir sa moto de cette boue.

Il se sortit de là, dégoulinant et fâché, tel une bête animée par son propre esprit, et il grogna de fureur.

Il pouvait presque goûter son sang maintenant. Il pouvait sentir sa peau céder sous les extrémités pointues de ses dents, sa chair se plaindre et se mouler là où sa prise ferme s'enfonçait, et sa chaleur humide l'accueillir tandis qu'il la retenait en place et la revendiquait d'un air triomphant.

Il en avait eu assez.

Il rompit le sol devant lui avec une détonation à caractère définitif puis l'obligea à se soulever vers le ciel. Des montagnes se formèrent à environ 100 mètres devant Siobhan, se dressant comme des fusées en route vers les étoiles et les planètes dans le ciel. Il observa sa réaction, ralentissant rapidement l'allure de sa moto tout juste assez pour glisser longuement jusqu'à l'arrêt complet en soulevant la poussière sans coucher la moto au sol et trouver la mort.

Thane était tout près de son but. Vingt-cinq mètres... Dix mètres...

Et là, juste au moment où il croyait l'avoir rejointe, elle et la Dodge Tomahawk qu'elle conduisait se volatilisèrent. *Invisible*? Il utilisa sa magie pour détruire n'importe quel bouclier pouvant l'empêcher de la voir. Il n'y en avait cependant pas. *Elle* n'était pas là.

C'était une illusion, comprit-il, les yeux bien grands. La propre moto de Thane dérapa jusqu'à l'arrêt complet dans une grande cacophonie. Il posa une botte sur le sol craqué. La moto rua et gronda sous lui tandis que son regard vif-argent parcourait le paysage obscurci. Quelque part là-bas, Siobhan s'était muée en son double fantomatique sans qu'il le remarque.

Il était excessivement impressionné. Il se sentait également plus ardent, emporté, agité et *affamé* qu'il l'avait jamais été de mémoire.

Il ferma ses yeux et s'adressa aux Animes de son royaume. C'était un très grand royaume. Si elle savait qu'elle était capable de le faire, la femme-sorcier aurait pu se téléporter n'importe où à l'intérieur de ses limites. Les Animes étaient ses yeux et ses oreilles dans l'énorme étendue du purgatoire. Ils l'avaient aidé à localiser l'ennemi de Roman D'Angelo dans le plan astral voisin quelques mois plus tôt, et ils l'aideraient maintenant à trouver sa propre reine.

* * *

Elle s'était dissimulée derrière un bouclier d'invisibilité, et tandis qu'elle s'accroupissait derrière la maison de Thane, le seul bâtiment à des milliers de kilomètres à la ronde, elle se rendait compte qu'elle ne pouvait pas voir ses propres bras ni ses jambes dans ses jeans. Elle s'appuya contre la porte arrière du bâtiment en silence, se demandant ce qu'elle devrait faire de plus pour gagner à ce jeu. Où était donc cette ligne d'arrivée qu'elle aurait dû reconnaître ? Elle soupçonna fortement qu'il faisait référence à la limite de son royaume, et soupçonna aussi que seul Thanatos pourrait trouver une telle chose.

Il lui avait tendu un piège pour s'assurer qu'elle perde.

Elle n'avait cependant jamais été du genre à refuser de relever un défi et avait livré toute une bataille. Elle semblait maintenant être à court d'options. Et alors qu'elle sentait une fatigue s'installer en elle, elle se rendit également compte qu'elle n'avait plus de magie en réserve. Elle avait transformé sa moto et avait aussi transformé le sol à plusieurs reprises. Elle s'était rendue invisible, avait formé un double fantomatique d'elle-même puis s'était téléportée à la maison de Thane. Elle n'avait encore jamais utilisé tant de pouvoir en même temps et ne s'était pas encore totalement remise du sort qu'elle avait jeté au roi des fantômes lors de leur première rencontre.

Elle se sentait un peu drôle, même plus légère. Tandis qu'elle réfléchissait à comment elle se sentait, Siobhan baissa son front sur ses genoux et ferma ses yeux. Ce n'était pas un mauvais sentiment, c'était seulement différent. C'était également quelque peu alarmant compte tenu des circonstances. Elle se demanda si elle finirait par être semblable à la batterie d'une voiture. Certaines de ces batteries ne pouvaient pas être rechargées quand elles étaient complètement vidées. Le dernier sursaut d'énergie qu'elles donnaient signifiait la fin de leur énergie pour toujours.

Qu'allait-il lui arriver ? Récupérerait-elle un jour sa magie ?

Siobhan…

La tête de Siobhan se releva brusquement. Il n'y avait rien ni personne devant elle dans la nuit. Le désert et le ciel indigo parsemé d'étoiles s'étiraient jusqu'au-delà de l'horizon.

Siobhan…

Elle cligna des yeux et se leva lentement. Son nom avait été prononcé si doucement qu'elle l'avait à peine entendu la première fois. Il l'avait maintenant été un peu plus fort, mais toujours dans un chuchotement.

— Oui ? demanda-t-elle avec hésitation.

L'air vacilla devant elle, prenant l'apparence familière d'un Anime. L'image mince et translucide d'un esprit apparut, et c'était celle d'une petite fille qui n'avait pas plus de 10 ans. Ses vêtements étaient ceux d'une autre époque, peut-être des années 1920. Elle avait les yeux bleus et des tresses blondes, et elle portait des bottines en cuir qui s'estompaient là où elles planaient au-dessus du sol.

Il arrive, annonça l'Anime.

Le cœur de Siobhan frappa lourdement à une reprise contre sa cage thoracique.

L'Anime rit, et le son de son rire était un écho creux de quelque chose qui avait autrefois été tout à fait beau.

Il voulait que nous vous trouvions, mais je préférerais vous avertir. C'est un jeu amusant !

Siobhan haleta lorsque la porte derrière elle s'ouvrit subitement vers l'intérieur, lui faisait perdre l'équilibre.

— Je parie que ça l'est, renchérit une voix grave et masculine derrière elle.

Elle poussa un cri aigu alors qu'elle tombait à la renverse et fut attrapée par la poigne ferme de ses deux bras très puissants.

Ses lèvres baissèrent vers son oreille et elle sentit son souffle chaud se répandre sur son cou.

— Je vous ai attrapée, annonça Thane en faisant déferler des ruisseaux de plaisir dans tout le corps de Siobhan.

Thane leva alors sa tête et s'adressa à l'Anime.

— C'était bien essayé, Cassidy, mais tu m'as mené droit à elle.

L'Anime Cassidy semblait vraiment énervée. Elle croisa ses bras sur sa poitrine, regarda le roi des fantômes en fronçant les sourcils puis elle disparut dans le néant une fois de plus. Thane rit sous cape et concentra de nouveau son attention sur la captive qu'il tenait sous sa poigne.

— J'ai gagné.

CHAPITRE 24

Siobhan s'agrippa au bras avec lequel il l'entourait avec une soudaine incertitude alors que le monde vacillait autour d'eux, que la maison disparaissait et que la seule chose solide dans l'Univers était son grand corps bien dur appuyé fermement contre son dos. Son souffle demeura coincé dans sa gorge lorsque le ciel de la nuit sembla se fondre dans l'hyperespace autour d'elle. C'était comme de regarder un spectacle laser et c'était suffisamment étourdissant pour qu'une partie d'elle veuille fermer les yeux.

Toutes les autres parties d'elle étaient fascinées et la présence du corps solide de Thane lui donna assez de courage pour continuer à observer le tout tandis qu'il déplaçait littéralement l'espace et le temps autour d'eux.

Lorsque tout se mit à ralentir de nouveau, Siobhan put sentir qu'ils étaient quelque part ailleurs, quelque part *vraiment* ailleurs, comme s'ils n'étaient plus dans le même royaume. Le sol était encore solide sous ses pieds et toujours dépourvu de végétation, mais le ciel de la nuit semblait plus près et les planètes plus grosses.

Thane libéra lentement Siobhan de son emprise tandis qu'elle levait les yeux vers le ciel. Des anneaux entouraient une planète qui ressemblait à Saturne, mais elle était bleue, rose et orangée. Les étoiles, si brillantes, ressemblaient à de gros trous qui auraient été percés dans une couverture de velours noir. Des lumières plus petites et plus près d'eux zigzaguaient dans le ciel comme des comètes, laissant des traînées de poussière d'étoiles dans leur sillage. Tout semblait être en mouvement, tel un immense mobile au-dessus du lit d'un enfant.

Siobhan leva les yeux avec émerveillement.

— C'est le plan astral, expliqua Thane en se déplaçant lentement autour d'elle, attirant inexorablement son attention de nouveau. Le cosmos est plus près ici, même si cela n'a aucun sens sur le plan physique. Mais là encore, ajouta-t-il doucement en se retrouvant devant elle et en se retournant pour lui faire face, la magie est rarement logique.

Il se tenait devant elle dans toute sa grandeur, un homme solide comme le roc tout vêtu de noir, rude, dur et tellement plus encore. Ses tatouages avaient changé une fois de plus et étaient maintenant chargés de couleurs éclatantes et aussi vibrantes que celles d'un arc-en-ciel. Des remous d'océans et d'espace recouvraient ses bras bien musclés et sortaient légèrement du col autour de son cou. Ses yeux étaient également différents maintenant. Il semblait y avoir de petites taches de couleur qui tourbillonnaient dans leurs profondeurs argentées, comme si les étoiles et les planètes dans le ciel s'y reflétaient. Ils étaient fascinants et lorsqu'il leva la main pour prendre le visage dans le creux de cette dernière, Siobhan se sentit hypnotisée.

Elle avait le souffle coupé. Son cœur dansait. Son contact était doux comme une plume et poignant au cœur, comme s'il défiait la force de l'homme qui la touchait.

Je suis perdue, pensa-t-elle lorsqu'il se pencha vers elle, le côté ténébreux et le charisme du roi des fantômes bloquant le reste de ce multivers magnifique. Sa bouche toucha la sienne avec le plus infime des frôlements et de petits feux d'artifice éclatèrent sur ses lèvres. Il s'y attarda un peu, comme un étalon attendant à la barrière de départ avant de foncer.

Puis, sa main glissa derrière sa tête et se referma en un poing dans ses cheveux. Il l'embrassa plus profondément, passant à l'action comme un animal affamé et désespéré. Siobhan craqua lorsqu'il entrouvrit ses lèvres et insista davantage. Son baiser blessait ses lèvres et faisait dérober ses genoux sous son corps, mais un deuxième bras puissant autour de sa taille lui permit de demeurer debout, la coinçant dans une étreinte bien chaude.

Il explora sa bouche, la buvant comme s'il était aux prises avec une soif inextinguible, et elle sentit les extrémités de ses canines tranchantes comme un rasoir piquer sa langue. Elle haleta sous l'effet de cette sensation à la fois effrayante et allé-chante. Son instinct l'obligea à se détacher de ce baiser, mais la poigne de Thane se resserra dans ses cheveux et elle perdit son équilibre avant de tomber.

Elle haleta avec ses lèvres contre les siennes tandis qu'il tombait avec elle. Elle poussa un doux cri de surprise que son baiser avala et se retrouva sur quelque chose de doux. Il cessa alors de l'embrasser pour la regarder avec des yeux brillants et remplis de désir.

— Un marché est un marché, souligna-t-il de sa voix grave éraillée par désir intense.

Siobhan était perplexe. Son esprit semblait embrouillé et son corps en feu. Dans un étourdissement, elle jeta un coup d'œil à ce sur quoi elle était tombée. C'était un lit ; le même lit qui avait été dans la chambre à coucher de Thane quelques heures plus tôt. Il se trouvait toutefois maintenant au milieu d'un plan astral désert sous un ciel brillant tel que l'aurait vu Galilée dans son télescope.

Elle eut tout juste assez de temps pour traiter cette information et ce qu'elle signifiait que le bras de Thane se retrouvait
autour de sa taille, soulevant son corps bien plus petit sur le
lit en la glissant en son centre. Maintenant qu'elle était où il
voulait qu'elle soit, il se leva et retira à la hâte son t-shirt noir
avec une impatience complète.

Siobhan observa les muscles de son corps puissant ondoyer
lorsqu'il le retira, contemplant sa large poitrine lisse et bronzée,
et la beauté étroite et parfaite de sa taille là où elle disparaissant
dans ses jeans. De l'encre vibrante forma des dessins complexes
sur les épaules incroyables de Thane et autour des renflements
stupéfiants de ses biceps. Quelque chose était écrit dans une
autre langue sur la peau tendue de son abdomen et Siobhan
s'égara dans les motifs là où ces derniers se levaient et s'abais-
saient en suivant chacune de ses crêtes bien définies. Elle aurait
pu le fixer ainsi des yeux pour toujours.

Il ne lui accorda toutefois que quelques secondes avant de
plonger de nouveau vers elle, sa bouche capturant la sienne. Il
l'enfonça dans le lit avec une persistance inébranlable, son corps
plus lourd se glissant au-dessus du sien comme l'aurait fait une
bête à peine maîtrisée. Le parfum de savon masculin et de cuir
parvint aux narines de Siobhan, la rendant ivre. Elle ferma ses
yeux et ne parvint pas à retenir un gémissement quand elle sentit
une de ses mains entourer doucement sa gorge dans une ultime
démonstration de tendre domination. Il prenait le dessus. Il ne
lui ferait jamais de mal, mais la menace prédatrice était toujours là, inondant son système avec une montée d'adrénaline aux
allures d'aphrodisiaque.

Elle regretta presque le moment où il la libéra ; jusqu'à ce
que sa main glisse rapidement jusqu'à l'ourlet de son chandail
en l'agrippant fermement. Les yeux de Siobhan s'ouvrirent bien

grands lorsqu'il se leva, glissa son autre bras sous son corps une fois de plus et la souleva, retirant en même temps son mince haut en le passant par-dessus sa tête. Elle souleva ses bras pour lui rendre la tâche plus facile et aussi parce qu'elle ne parvenait même pas à penser clairement pour le lui refuser.

Il avait raison. Un marché était un marché, et elle était presque en proie au délire tant elle le désirait alors qu'il défaisait son soutien-gorge et en glissait lentement les bretelles le long de ses épaules. Le mince morceau de dentelle tomba sur sa cuisse, à présent inutile. Thane s'en empara, esquissa un sourire terriblement maléfique avec ses canines totalement allongées et glissa la petite chose dans la poche arrière de ses jeans en ne la quittant jamais des yeux.

Elle sentit qu'elle devrait protester et pour ce faire, elle prit une inspiration pour dire quelque chose, mais le doigt de Thane vint s'appuyer sur ses lèvres tandis que ses yeux luisaient en guise d'avertissement. Il la coucha de nouveau sur le lit avec une douceur résolue et la maintint là pendant un moment avant de se rasseoir pour la regarder.

Ses yeux laissèrent une trace brûlante argentée de désir sur sa chair, la faisant roussir comme s'il pouvait la marquer avec son regard. Et c'était ce qu'elle sentait qu'il faisait : il la marquait comme étant sienne. Cette pensée fit passer son cœur à la vitesse supérieure. Elle l'observa avec une fascination impuissante et affamée tandis qu'il glissait fermement son genou entre ses jambes repliées. L'intimité de ce geste fit affluer son sang le long de son cou et octroya un teint coloré à ses mamelons, malgré les jeans qu'elle portait encore. Une brise vint embrasser sa peau, la refroidissant légèrement avant que ce regard en fusion ne la réchauffe de nouveau. Il se pencha suffisamment près d'elle pour chuchoter une fois de plus à son oreille.

— Vous avez le corps d'une reine, lui dit-il en répandant son souffle chaud sur sa peau.

Elle enfonça ses dents dans sa lèvre inférieure et ferma ses yeux, puis elle tourna sa tête sur le côté afin qu'il ne puisse pas voir ce qu'il lui faisait. Les lèvres de Thane se retrouvèrent ensuite sur sa gorge, l'embrassant doucement... la suçotant... la *mordillant*...

Elle se souvint alors du genre de dents qu'il avait et poussa presque un cri lorsqu'elle les sentit gratter sa peau au-dessus de sa veine jugulaire.

— Dites-moi quelque chose, petite femme-sorcier, s'enquit-il en descendant le long de son cou, faisant glisser ces dents dangereuses le long de sa clavicule et acheminant ainsi plus de chaleur à toutes les parties palpitantes de son corps. Êtes-vous mouillée ? demanda-t-il.

Oh mon Dieu ! pensa-t-elle. Il était hors de question qu'elle lui réponde à ce sujet.

Un battement de cœur plus tard, ces dents vinrent gratter le haut de son mamelon tendu et un plaisir douloureux se répandit dans son corps, mouillant encore plus son slip déjà humide.

— Oui ! cria-t-elle, incapable de s'en empêcher.

— Je vous crois, déclara-t-il, son ton de voix sombre teinté d'amusement et de triomphe. Je pense que je vais tout de même aller vérifier.

Sur ces mots, les jeans qu'elle portait un moment plus tôt n'étaient plus là le moment suivant. Une disparition pure et simple. Une chaude brise caressait maintenant ses jambes nues et elle sursauta sous l'effet de la surprise, tentant immédiatement de se relever.

La main de Thane se retrouva une fois de plus autour de sa gorge, cette fois pour la recoucher sur le dos. Son regard se fixa sur celui de Siobhan, lui rappelant qu'il dominait la situation, qu'*il* avait gagné le pari.

Et qu'il allait prendre ce qui lui revenait légitimement.

Son genou était déjà entre ses jambes, les ouvrant pour lui, et Siobhan ne s'était jamais sentie plus vulnérable de toute sa vie. Ses mains entourèrent le poignet près de son cou et ses ongles s'enfoncèrent dans le muscle puissant de son avant-bras.

L'autre main de Thane se glissa sous un de ses seins tandis qu'il soutenait son regard tout en laissant son pouce caresser lentement son mamelon rougi. Elle aspira une bouffée d'air et arqua son dos lorsqu'il répéta son geste, puis il se pencha vers l'avant, demeurant au-dessus d'elle comme un gros félin noir, et il referma deux doigts sur le petit bout sensible en le serrant doucement.

Siobhan fronça les sourcils, mordit sa lèvre avec force et tenta de détourner la tête alors que la pression augmentait, faisant déferler encore plus de plaisir mêlé de douleur dans son corps jusque dans son entrejambe.

— Vous êtes si belle, dit le roi des fantômes de sa voix éraillée tandis que ses lèvres frôlaient sa joue puis sa tempe avant de s'attarder dans la courbe de son cou sous son oreille.

Il libéra son mamelon sensible pour glisser sa main le long de sa cage thoracique puis sur son petit ventre avant de plonger dans les poils d'un roux foncé entre ses jambes. Les yeux de Siobhan s'ouvrirent bien grands et comme s'il savait qu'elle allait se mettre à lutter de nouveau, sa main se serra autour de sa gorge, déviant toutes ses pensées en faveur d'une libération.

Elle figea sur place tandis que la jambe de Thane maintenait les siennes ouvertes et que sa main descendait implacablement à travers ses douces frisettes jusqu'à la fente si moite entre ses jambes. Le frôlement de ses doigts près de son orifice mouillé la fit ruer dans sa poigne. C'était électrique et enfiévré, et tandis qu'il s'aventurait plus profondément en elle sans se démonter, elle trempa ses doigts avec son désir.

— Et vous êtes honnête en plus, chuchota-t-il, et le son ressembla à quelque chose qui se situait entre un rire sous cape guttural purement maléfique et un son rempli de douleur d'un désir ardent incroyable.

Sa main se retira soudainement de sa gorge et les doigts qu'il avait plongés dans son intimité se retirèrent. Ses deux mains se retrouvèrent sur ses cuisses, appuyant sur elles pour les ouvrir tandis qu'il reculait comme un serpent sur le point de mordre.

Siobhan leva les yeux vers lui avec émerveillement, surprise et un abandon absolu. Ses doigts se refermèrent sur les draps sous son corps, les agrippant avec force comme si le monde allait la repousser quelque part si elle lâchait prise. Le roi des fantômes était maintenant complètement nu et la lune comme les étoiles projetaient une lueur tentante sur son corps incroyable. Elle pouvait le voir tout entier, maintenant. *Tout entier.*

Et lorsqu'elle sentit son membre chaud et dur comme un fer à marquer venir s'appuyer contre son intimité, elle se redressa pour aller à sa rencontre, son esprit délirant complètement vide de pensées à l'exception d'un désir qui englobait tout. Elle voulut le sentir en elle, la taille incroyable de son membre la remplissant d'une manière qu'elle n'aurait jamais imaginée possible. Elle le désirait tant que cela la rendait complètement folle.

Elle le désirait depuis le moment où il s'était retourné pour lui faire face dans l'embrasure de sa porte. Depuis qu'il était entré dans sa maison en fermant la porte derrière lui. Depuis qu'il s'était assis sur la roue avant de sa moto. Elle le désirait depuis toujours.

Thane baissa son corps dur contre le sien, appuyant ses bras puissants de chaque côté de son corps sur le lit, et Siobhan lâcha les draps pour appuyer ses paumes sur sa poitrine taillée dans le roc. Ses ongles s'enfoncèrent profondément, son corps se raidit et son regard s'arrima au sien tandis qu'il s'enfonçait lentement en elle, ouvrant une brèche dans les murs de ses défenses féminines et la revendiquant comme étant sienne.

Le désir animal enflamma Siobhan, obligeant son corps à se soulever du lit pour qu'il s'enfonce encore plus profondément en elle. Il étira son intérieur et la remplit totalement, la réchauffant de l'intérieur comme une fournaise. Des ruisseaux de plaisir foudroyant émergèrent de son clitoris tandis que son corps s'appuyait dessus, la stimulant de l'intérieur comme de l'extérieur.

Les étoiles se balançaient au-dessus d'eux et des comètes traversèrent le ciel tandis qu'il bougeait en elle. C'était une sensation délicieuse à la limite de la douleur, un genre de plaisir frénétique qui la fit crier et haleter tandis qu'elle regardait le ciel de la nuit sens dessus dessous avec les paupières à moitié fermées.

Siobhan cria et arqua son corps contre sa poitrine, ses seins écrasés sous son corps tandis qu'il commençait à s'enfoncer en elle plus rapidement et plus profondément encore, alimentant un désir croissant qui entraînait Siobhan de plus en plus près de ce précipice.

La bête à l'intérieur du roi des fantômes était libre et prenait le dessus sur lui, et elle savait qu'elle la pousserait tout droit dans cette falaise. Elle irait dégringoler au fond de cet oubli, en remerciant les dieux en criant tout au long de sa descente.

Ses lèvres étaient de nouveau sur les siennes, les meurtrissant, les mordant et la poussant vers la folie. Il la libéra de son baiser, ses lèvres traînant de nouveau vers sa mâchoire puis vers sa gorge. Siobhan pouvait à peine penser.

Il embrassa la veine de son cou puis demeura là, à bout de souffle, tandis qu'il s'enfonçait en elle comme un marteau-piqueur.

— Je dois vous goûter, gronda-t-il d'une voix grave et exaspérée de désir de démon.

La douceur était partie depuis longtemps.

Elle ne pouvait pas réfléchir. Elle ne comprenait rien et n'avait aucune inquiétude. Il pouvait avoir tout ce qu'il voulait.

— Prenez-le, dit-elle en haletant, ne sachant même pas ce qu'elle lui donnait.

Prenez tout, pensa-t-elle. *C'est à vous. Mon Dieu, tout est à vous.*

Elle sentit sa main agripper fermement son menton et tourner sa tête pour exposer totalement la gorge qu'il venait d'embrasser, mais son membre était si dur et si loin en elle qu'elle était inattentive.

La première piqûre contre sa gorge lui fit froncer les sourcils, mais ce ne fut qu'ensuite, lorsque ses vilaines canines pointues se mirent à s'enfoncer lentement à leur pleine longueur dans son cou tendu ainsi que dans sa jugulaire, qu'elle comprit.

Ses mains cherchèrent ses bras en vitesse pour s'y agripper. La peur vibra en elle. Elle attendit la douleur et la mort qui allait sûrement s'ensuivre, puisque quelqu'un venait de lui ouvrir une artère aussi vitale.

Il demeura implacable ; il enfonça ses canines jusqu'à ses gencives et demeura ensuite immobile, se maintenant en place en elle. Il n'y eut aucune douleur. Dans ce moment de calme, tandis que son membre attendait en elle en subjugation et que ses dents revendiquaient sa gorge, elle put entendre sa respiration irrégulière. Le cœur de Siobhan battait avec force, son corps palpitait, et le précipice était encore plus près.

Il attendit. Appuyant, s'enfonçant si profondément.

Et il attendit.

Et lorsque Siobhan pensa qu'elle arracherait son propre cœur s'il ne lui permettait pas de jouir bientôt, elle le sentit se retirer d'entre ses jambes… puis il s'enfonça ensuite entièrement en elle tandis qu'il aspirait la bouche contre sa gorge, prenant son sang vivifiant et l'avalant.

La sensation était indescriptible et elle bourdonna en elle, cette électrisante petite mort qui lui donna le coup de pied la faisant tomber dans la falaise en l'y propulsant.

Il s'enfonça, recula, et s'enfonça encore et encore en elle.

Elle cria dans la nuit astrale tandis que son corps était soumis à des convulsions autour du sien à chaque vague qui déferlait en elle. Elle se noyait dans le plaisir alors que toutes ses poussées étaient si fortes et si merveilleusement intenses qu'elle voyait des étoiles sous ses paupières.

Il n'y avait pas de commencement ni de fin. Le temps devint une boucle infinie de ravissements de velours sous les bons soins connaisseurs de Thane. Il but plus profondément, s'enfonça plus durement, bougea plus rapidement, et Siobhan perdit toute trace de lucidité dans le monde. D'une façon ou d'une autre, à travers la brume de son délire séraphique, elle sentit Thanatos retirer ses dents de sa gorge, le vit se soulever au-dessus d'elle et regarda à travers ses paupières mi-closes le roi rejeter sa tête vers l'arrière et pousser un hurlement dans la nuit, sa beauté pure suffisante pour qu'elle demeure transportée de plaisir.

Les étoiles ralentirent… les planètes cessèrent de danser et le lit sous les doigts crispés de Siobhan l'engloutit dans une chaleur rassasiée. Au-dessus d'elle, Thane baissa sa tête et elle fut transpercée par le métal fondu de ses yeux. Il l'observa pendant un moment, à bout de souffle, un regard d'émerveillement absolu lisible sur ses traits parfaits.

Puis, le roi des fantômes posa une fois de plus ses lèvres sur les siennes, très lentement, avec la douceur caractéristique de quelqu'un qui se rendait compte qu'il avait quelque chose de vraiment très précieux entre les mains.

CHAPITRE 25

— Le processus est en train de s'inverser, annonça Roman.

Les trous sombres qui s'étaient formés pendant l'explosion du portail ne s'étaient pas étendus plus loin que dans les pièces extérieures de sa maison et fort heureusement, personne n'avait été blessé. Ils étaient maintenant en train de disparaître, devenant rapidement de plus en plus petits. On aurait dit que le temps et l'espace n'aimaient pas être ainsi fracturés. À l'opposé de l'entropie, leur emprise sur la réalité d'une nature semblable à un trouble obsessionnel compulsif était basée sur un code très strict qu'ils devaient suivre pour exister, et ils retrouvaient maintenant leur vraie nature.

Roman et quelques-uns des membres de la cour des vampires se trouvaient dans son bureau, qui semblait être le point d'origine de la destruction et le lieu à partir duquel elle s'était répandue. David Cade se trouvait à côté de lui, tout comme Samantha, la jeune experte en informatique d'une vingtaine d'années qui était la vampire la plus jeune à avoir jamais siégé à la cour.

— Oui, acquiesça Sam. Et cela se produit en fait à un rythme exponentiel. Nous devrions être en mesure de nous téléporter sans risque dans l'heure.

— C'est bien, affirma Roman. Je veux découvrir ce qui a bien pu se passer et si Thanatos et sa reine ont été blessés.

Son expression faciale devint sinistre.

— Et nous aurons ensuite une guerre à livrer.

* * *

— C'est donc à ça que ressemble la face cachée de la lune, s'étonna Siobhan.

Elle avait les yeux levés vers le ciel astral, la tête posée dans le creux du bras de Thane. Ici, dans ce royaume étrangement magnifique, le ciel nocturne était le rêve induit par la drogue d'un astronome. Tout était inversé et semblait être à portée de la main.

— Ça ressemble à un œil géant, dit-elle. Je peux imaginer à quel point nos cultures et nos croyances seraient différentes si nous avions plutôt eu les yeux fixés là-dessus depuis toujours.

Thane rit sous cape.

— Et que cet œil nous aurait fixés à son tour ?

Il se plia et déposa un baiser sur le sommet de son crâne.

— Tu sais, j'ai souvent réfléchi à la même chose.

Ils étaient couchés dans le lit de Thane depuis ce qui semblait être au moins quelques heures, parlant dans des tons calmes et comblés. Siobhan ne s'était jamais sentie aussi à l'aise avec une autre personne. Elle n'avait jamais été le genre de personne à manquer de confiance en elle, mais elle devait reconnaître que le fait de posséder des pouvoirs magiques l'avait différenciée des autres en grandissant. Elle s'était tenue à l'écart et avait certainement ressenti de la crainte ; la crainte d'être découverte et la crainte que ce qu'elle pouvait faire signifiaient qu'elle devait être quelque chose de *mal*.

Mais maintenant, enveloppée dans l'étreinte chaude et ferme du roi des fantômes, elle n'en ressentait plus aucune. Elle était confiante, contentée et en paix.

Il y avait cependant *quelque chose* qui continuait de planer dans les airs au-dessus d'eux. C'était minuscule au début, puis ça devenait plus lourd de minute en minute. C'était comme de tenter de se souvenir si on avait éteint le rond de la cuisinière.

Et maintenant, parce qu'elle se sentait vraiment en confiance et à l'aise dans les bras de Thane, Siobhan se donna la permission d'en parler.

— Thane, y a-t-il quelque chose que tu ne me dis pas ?

Le roi des fantômes devint immobile en dessous d'elle. Elle remarqua même qu'il avait cessé de respirer. Elle se releva lentement en position assise, ressentant immédiatement la fraîcheur de l'air là où sa chaleur avait été.

Il l'observa avec ces magnifiques yeux argentés pendant quelques secondes incertaines puis il glissa ensuite ses mains sur son visage et s'assit avec elle. Elle regarda ses muscles se tendre et onduler, et sa bouche saliva, mais le regard sur son visage réprima son appétit de caresses, qui fut remplacé par de l'inquiétude.

— Il y a quelque chose, admit-il doucement.

— Oh mon Dieu, qu'est-ce que c'est ? demanda Siobhan.

Cent choses horribles défilèrent dans sa tête. Avaient-ils détruit le continuum espace-temps lorsque Thane avait projeté de la magie dans ce portail ? Avaient-ils tué des tas de gens par mégarde ? Était-ce lié à Steven ?

— Nom de Dieu, Siobhan, tu ressembles à une Anime en ce moment, déclara Thane en prenant doucement son visage dans ses mains. Ce n'est rien de mal, d'accord? Nul besoin de tomber dans un état catatonique.

Siobhan sentit son cœur se calmer légèrement et sa tête cessa de tourner. *Rien de mal. C'est bien.* Elle pouvait vivre avec ça.

— Treize rois surnaturels se partagent des royaumes et règnent sur eux, expliqua-t-il en caressant sa pommette avec son pouce. Pendant des milliers d'années, toutes les tentatives des rois visant à partager leurs royaumes avec une partenaire ont échoué d'une façon ou d'une autre.

Il hésita avant de continuer.

— Jusqu'à tout récemment.

Siobhan ne comprenait pas, alors elle ne fit pas mine de comprendre. Elle se contenta plutôt de froncer les sourcils légèrement en attendant qu'il poursuive son explication.

— Tu as rencontré Roman D'Angelo.

Elle hocha la tête.

— C'est le roi des vampires. Il y a quelques mois de cela, il a rencontré sa femme, Evelynne. Et lorsque ça s'est produit, il a déclenché une réaction en chaîne qui finira éventuellement par toucher tous les souverains des royaumes surnaturels.

Son expression faciale devint sérieuse.

— En commençant avec moi.

Siobhan cligna des yeux.

— Je ne comprends pas ce que tu dis, Thane.

Elle secoua sa tête, puis elle y alla d'une tentative au hasard.

— Est-ce que tu dis que vous allez tous trouver vos reines maintenant?

— C'est exactement ce que je dis, Siobhan.

Un horrible sentiment la traversa.

— Est-ce que tu dis que tu as une reine quelque part et que tu ne m'as pas parlé d'elle?

Elle savait que cela ne pouvait pas être vrai en le disant. Ça ne pouvait simplement pas l'être.

Thane eut l'air assommé.

— Non ! protesta-t-il de manière catégorique. Il n'y a personne d'autre, Siobhan. Écoute, continua-t-il. Il y a parmi nous des sorcières qui sont des voyantes. La plus puissante d'entre elles a récemment eu une vision où il y avait 13 rois sur un échiquier... et 13 reines.

Il retira sa main de sa joue et la tendit entre eux paume vers le haut.

— Cette même femme très puissante et très sage m'a donné ceci après que nous nous sommes rencontrés, toi et moi.

L'air au-dessus de sa paume ouverte vacilla. Il y eut un flash de lumière blanche et quand celle-ci disparut, une pièce représentant une reine rouge dans un jeu d'échecs s'y trouvait.

Siobhan baissa les yeux vers la pièce, remarquant qu'elle était de la même couleur que ses cheveux. Une impression de reconnaissance vibra en elle, accélérant son rythme cardiaque. Il y avait un bourdonnement dans ses oreilles, distant mais présent.

Elle savait ce qui s'en venait. Elle aurait pu prononcer les mots elle-même.

— C'est toi, Siobhan, confirma Thane.

Elle sentit de nouveau son regard sur elle, cherchant dans son visage, cherchant peut-être même dans son âme. Puis, il dit enfin tout doucement et avec le caractère définitif de celui qui croyait fermement ce qu'il disait les paroles suivantes :

— Tu es ma reine.

Siobhan fixa des yeux la pièce de jeu d'échecs dans sa main. Elle brillait au clair de lune.

Elle tendit lentement la main pour y toucher. Un sentiment d'achèvement souffla sur elle lorsque ses doigts se refermèrent sur la pièce.

— Je sais, admit-elle en prenant la pièce de sa main et en
la retournant. Je pense que je l'ai su dès la première fois où j'ai
regardé dans tes yeux.

Thane était muet à ses côtés, alors Siobhan leva les yeux. Il
semblait davantage sous le choc qu'elle semblait l'être, et sa gorge
lui donnait l'impression d'être en train d'avaler des larmes qu'il
n'autoriserait pas à ses yeux.

— Tu n'es pas fâchée ?

Il posa la question comme s'il pouvait à peine croire sa
chance.

Siobhan y pensa. Il n'avait pas été honnête avec elle depuis
le début. Depuis combien de temps le savait-il ? Quand cette
sorcière lui avait-elle donné cette pièce ? Ce délai la dérangeait,
d'autant plus qu'elle avait eu suffisamment confiance en lui pour
coucher avec lui.

Mais alors… c'était Thanatos. Et rien ne pouvait éclipser ce
qu'il lui faisait ressentir, le fait que tout à propos de lui était
encore plus magique qu'elle pouvait l'être, depuis son royaume
jusqu'à son contact tendre et féroce à la fois. Elle savait qu'elle
était destinée à être avec lui. Elle le savait dans un certain
endroit profondément en elle, si viscéralement que c'était pratiquement primordial. Et c'était probablement la même chose
pour lui.

Elle savait qu'il craignait fort probablement qu'elle refuse de
le croire et qu'elle prétende que ce n'était pas vrai s'il lui disait, et
que cela l'anéantisse dans le processus. Elle pouvait comprendre
ce genre d'hésitation.

— Non, dit-elle en secouant la tête. Je ne suis pas fâchée.

Elle ferma sa main sur la pièce du jeu d'échecs de manière décisive. C'était un geste qui en disait long sur son acceptation de la situation.

— Mais ne me cache plus jamais rien, Thane.

Les yeux de Thane s'agrandirent encore plus, puis il rit et s'étouffa avec ses émotions en s'avançant pour prendre son visage dans le creux de ses deux mains.

— Oh Siobhan…

Il secoua la tête.

— Non. Je jure que je ne te cacherai plus jamais rien.

— Jamais est une très longue période de temps, le mit-elle en garde en plaçant sa main sur les siennes.

— Ce n'est pas si long maintenant.

Il se pencha et l'embrassa, ses lèvres tendres et sa barbe de quelques jours rallumant le feu qui couvait en elle et dont les braises étaient demeurées bien rouges. Elle ne put penser qu'au lit sous son corps et au désir qu'elle avait qu'il la retienne encore contre lui dès l'instant où il entrouvrit ses lèvres et l'explora avec sa langue, mais il se retira après quelques moments délicieux et lui dit, en retenant son souffle :

— Je veux que tu m'épouses.

Siobhan cligna des yeux, frissonna légèrement et tenta de dominer sa libido. Elle ne s'était pas attendue à une telle demande. Le mariage était quelque chose d'un peu formel et même traditionnel pour le monde fou et magique dans lequel ils vivaient.

— Hum…

Son regard s'intensifia et sa voix s'approfondit.

— Siobhan, je t'en prie, sois ma femme.

Il baissa la main pour prendre sa main droite, celle dans laquelle elle avait toujours senti un peu plus de magie circuler, et il glissa son pouce sur son annulaire. Des étincelles minuscules grésillèrent à la base de son doigt, la chatouillant agréablement. Lorsqu'elles disparurent, elle vit que deux lignes, une rouge et une noire, s'étaient entrelacées pour former ce qui ressemblait à un anneau noué.

Un anneau tatoué. C'était tellement le genre du roi des fantômes.

Siobhan ne put s'empêcher de rire. Cet homme pouvait sans doute lui offrir un diamant de la taille d'une camionnette, mais il avait arrêté son choix sur ça. C'était quelque chose qui le représentait tellement plus. Le geste la toucha et cette touche était merveilleuse.

Elle hocha la tête.

— C'est d'accord, accepta-t-elle en affichant toujours un grand sourire.

Elle tourna sa main pour admirer le superbe rinceau et le tutoya finalement lorsqu'elle dit :

— Je t'épouserai.

Aussitôt ces paroles prononcées, quelque chose d'autre se manifesta, quelque chose qui n'avait pas été là une seconde plus tôt. C'était indescriptible, comme de tenter de décrire l'air juste avant que la foudre ne frappe. Comme le bruit d'un souffle retenu et l'odeur d'une possibilité. C'était quelque chose qui n'avait jusque-là été qu'à Thane ; et qui était maintenant également à elle.

Thane bondit vers l'avant et captura ses lèvres sur-le-champ, les meurtrissant avec un bonheur palpable qui lui donnait l'impression d'être ivre. Des éclats de lumière furent projetés autour d'eux et lorsque Siobhan parvint à ouvrir ses yeux pendant un court moment, elle vit que le ciel était rempli d'étoiles filantes. Par milliers.

Mais encore une fois, une minute plus tard, le roi cessa de l'embrasser et cette fois-ci, Siobhan dut se retenir pour ne pas refermer sa main en formant un poing dans ses cheveux pour le tirer vers lui avec toute la force dont elle disposait.

Lorsqu'il se retira, il sembla aussi embrouillé par le désir qu'elle pouvait l'être. Il avala sa salive avec difficulté et lui dit d'un ton bourru :

— Je dois retourner dans le royaume des mortels.

Siobhan glissa une main frustrée dans ses cheveux.

— D'accord… pourquoi ?

— Par ses actions, Marius a déclaré la guerre aux autres rois, expliqua-t-il.

Il libéra une expiration chancelante et tous les muscles de son corps parfait étaient tendus comme s'il combattait quelque chose.

— Je suis un de ces rois.

Elle traita cette information et ferma ses yeux alors qu'une crainte commençait à faire son chemin petit à petit, puis elle quitta le lit. Les planètes continuaient à tourner et les étoiles à miroiter dans le ciel. *Pas encore,* pensa-t-elle. Son désir diminua lentement, laissant son corps refroidir sous l'effet de l'air nocturne. Il était sur le point de la laisser seule de nouveau, sauf qu'elle savait maintenant que c'était bien pire. Elle savait maintenant qu'il y avait une possibilité que Thane ne revienne pas. Et maintenant, elle se souciait réellement et vraiment de lui.

— D'accord, acquiesça-t-elle. Je viens avec toi.

Elle n'avait plus aucune magie ; elle sentait qu'elle l'avait utilisée en totalité lorsqu'elle avait tenté de devancer le roi des fantômes, et elle n'avait pas encore dormi ni mangé, alors aucune magie n'était revenue ; si elle allait revenir un jour. Elle ne voulait pas y penser.

Elle pouvait toutefois se servir d'une arme à feu ; elle pouvait appuyer sur une détente aussi bien que n'importe qui. Elle pouvait apporter un soutien moral. Elle pouvait faire *quelque chose*. Ne le pouvait-elle pas?

Thane baissa le regard vers le lit, sembla réfléchir à quelque chose puis se leva du matelas lui aussi pour se tenir à côté du lit. Il la fixa longuement et intensément du regard avec une expression énigmatique sur son visage magnifique. Ce faisant, le lit disparut et des vêtements recouvrirent leurs corps par magie.

Siobhan baissa les yeux et reconnut ses propres vêtements, puis elle releva son regard. Le roi des fantômes se tenait devant elle, vêtu de ses jeans et de sa veste en cuir noir, l'air aussi indomptable que jamais.

— Non, contra-t-il doucement en réduisant lentement la distance entre eux. Tu es précisément ce que Marius recherche. Si tu y vas, tu seras celle qui seras le plus en danger, peu importe ce qui pourrait se passer et qui d'autre pourrait mourir.

Il s'arrêta à 30 centimètres d'elle et secoua sa tête.

— Et il est hors de question que je te perde maintenant.

— Thane, protesta-t-elle en l'implorant de son mieux du regard. Je t'en prie, ne me laisse pas ici.

— Ce ne sera pas pour bien longtemps et tu ne seras pas seule, précisa-t-il. Nous en avons déjà discuté, et je ferai en sorte que quelques personnes de l'entourage de Roman ainsi que quelques loups-garous viennent au purgatoire pour veiller sur toi.

Les yeux de Siobhan s'agrandirent, puis elle cligna des yeux.

— Vous en avez déjà discuté?

— Avec les autres rois ainsi qu'avec le Surveillant du conseil des loups-garous, dit-il.

— Je vois, rétorqua-t-elle, sentant une pointe de colère grimper en vitesse le long de sa colonne vertébrale.

De découvrir que les loups-garous, les fées et les dragons existaient quand il lui avait parlé d'eux alors qu'ils étaient couchés dans le lit avait déjà été assez difficile pour elle, et voilà qu'ils décidaient de son destin à sa place.

— Quand avais-tu l'intention de me le dire ?

Thane lui donna l'impression de savoir qu'il avait fait quelque chose de mal, mais il demeura impénitent. Cette attitude lui allait magnifiquement bien et lui donnait envie de lui arracher son t-shirt, tout comme elle avait également envie de l'étrangler avec les lambeaux du même t-shirt.

— Je te le dis maintenant, lança-t-il.

Cette pointe de colère qui avait effectué sa montée dans son corps était maintenant en attente, accroupie et prête dans son cerveau, inondant son système avec de l'adrénaline et du cortisol.

— Absolument pas, grogna-t-elle à travers ses dents serrées.

C'était une chose de lui dire qu'elle devait rester ici ; elle pourrait même parvenir à l'accepter si elle tentait de le faire. C'était vrai, après tout. Elle ne serait utile à personne dans un combat. Mais le fait qu'il lui fasse si peu confiance qu'il demande à des monstres paranormaux de la *garder* comme une enfant faisait passer sa vision au rouge. Il était juste chanceux qu'elle n'ait aucune magie en elle à ce moment.

— Je ne *resterai pas* ici sous l'œil de gardiens, Thane.

— C'est là où tu as tort, ma reine, affirma-t-il, son expression faciale devenant aussi sombre et déterminée que la sienne. Tu *resteras* ici.

Il tendit la main à la vitesse de l'éclair et l'agrippa par le poignet, la faisant ensuite tournoyer si vite qu'elle en perdit l'équilibre. Elle haleta lorsqu'elle tomba à la renverse contre lui et il l'enveloppa de ses bras. Le monde s'inclina, fondit et devint flou, et elle sut qu'il les téléportait une fois de plus. L'instinct semblait toujours régner en maître au cours des voyages entre les dimensions, et elle se retrouva fermement agrippée à ses bras solidement entourés autour d'elle en raison du plus pur instinct de conservation. Le monde se solidifia de nouveau et ils se retrouvèrent dans la salle de séjour de la maison de Thane au purgatoire. Thane ne relâcha pas tout de suite sa prise sur elle et en profita pour baisser ses lèvres à son oreille, ce qui fit déferler une vague de plaisir teintée de colère de manière implacable dans son corps.

— Sois gentille avec eux, Siobhan. Si on m'apprend que tu ne t'es pas bien comportée à mon retour, je devrai te punir.

Sur ces mots, il la libéra presque aussi rapidement qu'il l'avait initialement agrippée. Siobhan tituba, et lorsqu'elle retrouva son équilibre, il n'était plus là.

CHAPITRE 26

Il y avait eu un peu plus que de l'appétit et du désir en jeu lorsque Thane avait décidé de jouer à la poursuite avec la jeune femme-sorcier dans le désert de son royaume. Une certaine part de stratégie avait aussi fait partie du lot.

Il avait su qu'elle utiliserait sa magie pour lui échapper et qu'en le faisant, elle épuiserait ses réserves. Si Marius mettait la main sur elle alors qu'elle se trouvait dans un tel état, il ne serait pas en mesure d'obtenir du pouvoir d'elle. Enfin, pas avant un certain temps. Il devrait lui permettre de se nourrir et de se reposer. Et Thane pourrait ainsi gagner du temps.

L'inconvénient était que Siobhan était maintenant sans défense contre quiconque aurait pu être dépêché par le roi Akyri pour la capturer. Les chances qu'il se serve de quelqu'un d'autre qu'un Akyri étaient cependant assez minces pour que le plan vaille la peine d'être exécuté.

Tout ce à quoi pensait maintenant le roi des fantômes concernait essentiellement Siobhan, y compris ce qu'il avait l'intention de faire. Malgré le fait qu'il tenait à sa sécurité, il avait la certitude que sa façon d'agir reviendrait le hanter.

Ce n'est pas une façon de traiter sa nouvelle épouse, Thane.

Il le regrettait immensément. Il ne l'avait pas laissée derrière de la plus habile des façons, mais le temps n'avait pas été son allié et il ne pouvait plus en manipuler la durée plus longtemps. D'agir ainsi le déchirait, mais il n'avait pas vraiment eu le choix.

Et maintenant, il ressentait le poids sinistre d'un malheur imminent tandis qu'il se déplaçait dans le portail pour quitter les royaumes extérieurs et retourner sur Terre. Il n'aurait pas tenté le coup s'il n'avait pas senti que tout était revenu à la normale dans les portails. Les trous sombres qu'il avait créés par mégarde dans son royaume avaient disparu et le voyage entre les dimensions était sécuritaire de nouveau.

C'était là plus qu'il ne pouvait dire pour se défendre s'il retournait au purgatoire sans être préparé. *Elle va m'étriper,* pensa-t-il. Il avait senti son pouvoir augmenter lorsqu'il lui avait donné sa marque, son anneau, sa *promesse*. Elle était devenue sa femme au moment où elle avait accepté l'anneau qu'il lui avait dessiné. Elle était officiellement devenue sa *reine*.

Personne n'ignore que les reines sont bien plus puissantes que leurs rois sur un échiquier. Thane savait que Siobhan deviendrait plus forte. Avec le temps, elle serait capable de jeter des sorts en tant que femme-sorcier, mais serait également capable d'absorber la magie des autres comme il était en mesure de le faire. Cela pourrait signifier bien des choses. Elle pourrait devenir sa propre batterie rechargeable et ne plus jamais se retrouver à court de magie. Cette pensée était sidérante. Elle deviendrait une force avec laquelle il faudrait compter.

Siobhan Ashdown allait ébranler le monde. Et bien qu'il attendait son évolution avec impatience, il redoutait leur prochaine confrontation.

La déchirure dans le temps et l'espace s'ouvrit une dernière fois devant lui, la lumière au bout de l'étrange et magnifique tunnel, et Thane marcha dans l'emplacement déterminé à l'avance où il allait rencontrer Roman et plusieurs membres de la communauté des loups-garous.

Il jeta un coup d'œil très rapide à leur environnement, en notant tout ce qu'il pouvait y voir. C'était une clairière au milieu d'une immense forêt, et tandis que la hauteur impressionnante des séquoias autour de lui laissait leur impression indomptable, il se rappela que les vampires aimaient particulièrement le littoral occidental. L'air était humide, mais la température était douce et les vampires avaient une certaine affinité avec les séquoias en particulier.

Le dirigeant implicite des Treize rois, Roman D'Angelo, se tenait à l'écart des autres qui s'étaient rassemblées dans la clairière et alla à la rencontre du roi des fantômes au centre de cette dernière.

Le roi des vampires l'examina attentivement.

— Si je me fie au nouveau tatouage sur votre annulaire droit, je pourrais en déduire que les choses se sont bien passées.

Il fit une pause, leva de nouveau le regard vers celui de Thane et esquissa un sourire plutôt amusé.

— Mais d'après l'aura qui est actuellement la vôtre, je pourrais en arriver ultimement à une tout autre conclusion.

— Elle est têtue, expliqua Thane.

Le sourire de Roman s'agrandit, exposant ses canines.

— C'est le lot des meilleures.

Il se tourna pour faire face aux autres, qui vinrent lentement les rejoindre près du centre du petit champ. L'odeur de l'écorce humide, du sel de mer et de la terre semblait nettoyer l'air. La rencontre avait lieu au milieu de la matinée, et en dépit du dangereux rassemblement de prédateurs dans la forêt, on pouvait tout de même entendre de petits animaux vaquer à leurs occupations pas très loin de là.

Six loups-garous avaient accepté de rencontrer Thane : trois hommes et trois femmes. Jesse Graves, le Surveillant du conseil des loups-garous, les avait apparemment informés de la situation et leur avait demandé cette faveur.

L'homme que Thane reconnut immédiatement au sein du groupe mesurait bien plus que 1 mètre 80 et avait des yeux semblables à des émeraudes opaques. Des millions de personnes auraient pu le reconnaître, en toute honnêteté, mais seulement quelques personnes triées sur le volet savaient qu'il était plus que le célèbre auteur de romans policiers à succès.

Malcolm Cole était là, le bras entouré affectueusement et de manière possessive autour des épaules d'une grande et magnifique rousse qui rappela un peu Siobhan à Thane. Il savait qui elle était, bien sûr. Tout le monde le savait.

Cole et sa fiancée, Charlie, aussi connue sous le nom de Claire, étaient les deux loups-garous que Thane espérait le plus voir ici pour lui offrir de l'aide. La rousse Charlie était une belle femme, grande, mince et incroyablement rapide. Elle était la petite-fille de l'ancien Surveillant et plus important encore, elle avait elle-même été le sujet d'une très dangereuse obsession. Thane avait spécifiquement demandé sa présence parce qu'il espérait qu'elle puisse aider Siobhan à bien comprendre ce qui lui arrivait. Et si le pire devait arriver, Thane était certain que Charlie se battrait comme une forcenée pour défendre l'épouse de Thane.

Quatre couples formaient les couples de loups-garous les plus célèbres encore en vie aujourd'hui. Les huit loups constituaient un groupe très uni, les meilleurs amis du monde, et avaient traversé une véritable guerre pour établir un lien aussi fort. Thanatos était incroyablement encouragé de voir que trois de ces quatre couples étaient ici en ce moment, et il comprenait parfaitement l'absence du quatrième couple. La Guérisseuse Dannai Caige et son mari avaient leurs trucs à gérer, et elle avait ses propres enfants à protéger.

Thane et Roman s'approchèrent du groupe. Malcolm regarda Thane en plein dans les yeux.

— Il ne la lâchera jamais, déclara le loup-garou.

Thane hocha la tête.

— Je sais.

— Nous prendrons soin de Siobhan, affirma Charlie, qui se tourna vers ses deux amies. Lily et moi nous assurerons qu'elle ne soit pas seule. Kat ira avec vous.

Katherine Dare, une grande femme aux cheveux blond blanc avec une peau de porcelaine et une férocité non identifiable hocha la tête à l'intention de Thane. À ses côtés se trouvait Byron Caige, un homme aux yeux gris clair semblables à ceux de Thane, et qui possédait apparemment la capacité époustouflante de manipuler l'électricité. C'était un avantage indescriptible.

— La Briseuse de malédiction est une ancienne Chasseuse et une de nos combattantes les plus habiles, indiqua Daniel Kane, le Cajun aux cheveux noirs et aux yeux bleus qui était le chef de police de Baton Rouge, ce que Thane savait déjà.

— Je préférerais donc que vous restiez auprès de Siobhan, souligna Thane en se retournant pour faire face à la femme aux cheveux blonds.

Il éprouvait beaucoup de difficultés à laisser ainsi sa reine derrière lui dans son royaume. Il savait qu'elle était davantage en sécurité là-bas. Marius pouvait franchir les mêmes portails que Thane, mais le purgatoire était une zone interdite pour quiconque ne s'y voyait pas accorder la permission d'y entrer par Thane.

Il ne pouvait toutefois pas faire autrement que de penser qu'elle était vulnérable. Toute seule. Il voulait l'entourer d'une unité d'élite et d'une armée de dragons, de fantômes et de gobelins, en plus d'Iron Man.

Il fallait cependant déployer beaucoup d'énergie et de très grands efforts pour emmener quelqu'un au purgatoire, et c'était infiniment plus difficile s'ils provenaient essentiellement d'un autre royaume. Les vampires et les loups-garous provenaient de la Terre. Indépendamment de ce qui pouvait être dit à propos de leurs statuts surnaturels, ils étaient nés sur la planète bleue constamment en rotation. Tout comme les mortels, ils étaient composés de poussière d'étoiles.

Il pourrait les envoyer au purgatoire sans s'épuiser et cela était essentiel.

— Votre problème ne s'en ira pas tant que nous ne le *ferons pas* partir, lui dit Cole avec un ton doux et apaisant.

Il parlait par expérience.

— Il craint toutefois de laisser sa partenaire sans protection, comprit Charlie, ce qui attira aussitôt sur elle les yeux de son fiancé.

Elle lui adressa un regard qui en disait long et Cole se redressa, tandis qu'un muscle tressaillait dans sa mâchoire. Il repensait sans doute au combat qu'il avait dû livrer à Gabriel Phelan, le Chasseur et loup-garou qui avait été à ce point obsédé par Charlie qu'il avait ressuscité des morts pour mettre la main sur elle.

— Vous avez raison, concéda simplement Cole en n'ajoutant rien de plus.

— Vous serez accompagnées par quelques vampires de Roman, expliqua Thane aux femmes.

Il avait voulu dépêcher des hommes qu'il connaissait personnellement, mais Roman avait suggéré que Siobhan s'identifierait plus rapidement avec des femmes dans le cas présent, d'où la présence effective de Charlie, Lily Kane et Katherine Dare. Il enverrait également deux femmes vampires en qui Roman avait confiance.

Il espérait seulement que ce soit un gaspillage inutile d'effectifs. Et que cela serait *suffisant*, si ce n'était pas le cas.

— Je ne peux pas vous remercier suffisamment pour ce que vous faites pour moi, leur dit Thane.

Il le pensait vraiment.

— Je vous en dois une.

* * *

Siobhan souleva sa tête, qui avait jusque-là été entre ses mains, et expira une nouvelle fois. Elle se leva du divan de Thane et traversa la salle de séjour avant de se retourner et de marcher de nouveau à grands pas dans la pièce. Elle glissa ensuite ses mains dans ses cheveux puis serra les poings fermement avant de pousser un grondement de frustration.

Siobhan sortit telle une furie de la salle de séjour sans trop savoir pourquoi, avant de traverser la cuisine et de franchir la porte du garage. Elle avait seulement besoin de bouger quelque part, même si c'était sans but précis. De multiples rangées de véhicules luisants et brillants l'accueillirent, et leur pure splendeur la fit s'arrêter et temporairement oublier sa colère.

L'effet ne dura cependant pas très longtemps. Ses yeux couleur de miel glissèrent sur eux, prenant note de leur peinture impeccable avec l'air détaché de quelqu'un qui avait quelque chose d'autre en tête.

L'air se mit à onduler avec une sensation d'imminence juste au moment où elle allait se mettre à maudire Thane avec véhémence pour la troisième fois de la matinée. Elle la reconnut immédiatement. C'était la même résonance fluctuante qui s'était manifestée peu de temps avant l'apparition de chaque Anime dans le garage un peu plus tôt.

Siobhan s'immobilisa, tournant ensuite son attention vers une partie ondulante d'air qui planait au-dessus des véhicules les plus près comme un feu-follet. Le tatouage sur son annulaire droit picota.

Elle baissa les yeux vers lui et remarqua qu'il rougeoyait. Sans y réfléchir, elle leva sa main droite paume vers l'extérieur en direction de la perturbation dans l'air. Le pouvoir qui déferla de son bras lui était étranger, et il l'étonna suffisamment pour que ses yeux s'agrandissent et qu'elle en ait le souffle coupé. Le phénomène lui sembla toutefois être une bonne chose. Il lui donnait la même sensation que sa propre magie. Il était naturel.

Parce qu'elle était la reine des fantômes.

L'espace ondoyant s'agrandit et s'illumina jusqu'à ce qu'il ressemble à un portail sur le point d'éclore, puis il s'ouvrit. L'air se sépara et pendant quelques secondes, Siobhan ne fut pas certaine que quelque chose allait en sortir.

Puis, l'Anime apparut, hésitant et recroquevillé, ses bras fermement serrés autour de son propre corps comme s'il voulait se protéger. C'était une femme. Elle portait des jeans bleus et un haut souillé de sang.

La femme regarda Siobhan, son expression faciale étant un dur et horrible mélange de chagrin et d'une crainte épouvantable.

— Êtes-vous Siobhan ? demanda-t-elle, sa voix tremblante se faisant entendre distinctement.

— Oui, répondit Siobhan.

Une lourde et froide sensation d'effroi se mit à grimper le long de son corps, enveloppant ses jambes et la base de sa colonne vertébrale.

— C'est moi.

— Vous devez vous rendre auprès de lui, l'implora la femme. Je vous en prie. Je vous en supplie. Si vous ne le faites pas, il va les tuer tous les deux !

Elle sanglota désespérément, et le son était hystérique et désespéré. C'était un son misérable, écrasant et terrible.

— *Je vous en prie*, continua-t-elle. Il a dit que vous sauriez ce qu'il voulait dire. Vous devez y aller maintenant.

Elle dirigea ses mains vers Siobhan, comme si elle pourrait agir physiquement sur elle pour la faire partir.

— Il ne vous accorde que quelques minutes !

La femme bondit vers l'avant, ses mains couvertes de sang s'agrippant l'une à l'autre comme si elle était en train de prier. Elle vacilla comme une ampoule électrique dans une tempête et tomba sur ses genoux sur un certain plancher invisible dans les airs.

— Il a dit que vous deviez vous téléporter au quai 36 à San Francisco. Il est désaffecté.

Elle éclata à nouveau en sanglots et tenta visiblement de se reprendre en main.

Siobhan ne pouvait que continuer à l'écouter tandis qu'elle la regardait avec des yeux bien grands et déconcertés.

— Il vous accorde cinq minutes, dit la femme d'un ton ferme.

Elle leva les yeux vers Siobhan et la regarda à travers un regard flou et horrifié. Elle serra ses dents.

— Si vous n'arrivez pas là à temps, il va tuer mon mari et mon fils de 16 ans.

CHAPITRE 27

Thane sentit le calme bien avant qu'il ne sorte dans son garage depuis l'autre extrémité du portail. La raison pour laquelle tout était si calme le frappa avec la force d'un camion dès qu'il posa ses bottes sur le ciment. Il eut alors l'impression que le purgatoire venait de se liquéfier sous ses pieds, le laissant se noyer dans une cuve de crainte.

Cinq femmes sortirent derrière lui et jetèrent un coup d'œil à toutes les voitures.

— *Merde alors*, s'exclama l'une d'entre elles.

Thane se tourna alors vers elles et Lily Kane fronça les sourcils. Elle secoua sa tête et croisa le regard de Thane. Leurs yeux se rencontrèrent. Il savait ce qu'elle allait dire avant qu'elle ne le dise.

— Elle est partie, chuchota-t-elle.

Thane ne pouvait pas répondre ; aucune particule d'oxygène ne voulait quitter ses poumons ou encore y entrer.

Il n'était cependant pas nécessaire d'obtenir une réponse. Lily était la voyante du groupe. Elle *savait* des choses. Et il était évident d'après la seule sensation de l'air que Siobhan n'était pas ici. Elle s'était téléportée hors du royaume. Et puisqu'elle avait été complètement vidée de sa magie quand il l'avait quittée, Thane savait que c'était *sa* magie à lui qu'elle avait utilisée pour ouvrit un portail.

Il avait su en l'épousant et en faisant d'elle sa reine qu'une telle chose était du domaine des possibilités, mais sa propre mort dans un combat contre Marius était également une possibilité, et il avait seulement voulu être marié avec elle et ainsi être son mari et son roi avant de mourir. Il avait donc fait un choix.

Ça avait été le mauvais choix.

— Il doit y avoir un moyen de découvrir où elle est allée, énonça Lily en glissant ses mains sur ses yeux en tentant clairement de comprendre ce qu'il fallait maintenant faire.

— Je connais quelqu'un qui peut nous aider, indiqua Thane.

Sa voix parvint à ses propres oreilles comme si le son voyageait dans l'eau, déformée et amortie par un bourdonnement de vile terreur. Il ne maîtrisait désormais plus son corps ou ses mots ; ils agissaient de leur propre initiative en effectuant les mouvements en mode pilote automatique.

Sa réaction à la disparition de Siobhan avait un effet viscéral sur lui. Il pouvait goûter sa peur ; ça lui laissait un goût métallique en bouche. Il pouvait la *sentir*, comme du sang laissé à l'air libre trop longtemps. Ses bras et ses jambes étaient engourdis et sa poitrine semblait creuse, comme si elle était littéralement exempte d'organes, de muscles ou d'os.

— Qui ? demanda Lily.

Un homme avait été si étroitement lié à la magie sombre de Siobhan qu'il avait réussi à éviter la mort et à retourner à ses côtés. Il s'était inconsciemment nourri d'elle pendant des mois, formant dans les faits un lien Akyri/sorcier. Il connaissait sans doute le parfum et la signature de son pouvoir nébuleux comme personne d'autre.

— Steven Lazare, murmura Thane.

Lazare serait capable de la traquer. Il l'avait retrouvée sans même déployer d'efforts en ce sens quand il était retourné auprès d'elle en étant presque un Anime.

Le roi en Thanatos passa en revue les étapes de la stratégie à mettre de l'avant sans aucun effort conscient. Ils retourneraient dans la clairière de la forêt de séquoias où les rois étaient censés se réunir. Les 11 autres souverains et le Surveillant du conseil des loups-garous seraient informés de ce nouveau développement. Ils localiseraient Steven Lazare, peu importe l'endroit où il était parti après leur bataille avec Marius.

Puis, l'ancien détective trouverait Siobhan. Et avec un peu de chance, il trouverait aussi Marius.

Et Thane pourrait lentement lui arracher ses bras de son fichu corps de voleur de femme.

*   *   *

Elle perdit son emprise sur la magie. Elle n'avait seulement eu qu'une emprise minimale sur elle au début et avait poussé sa chance afin de pouvoir atteindre l'emplacement où elle voulait se rendre, mais sa chance s'était cependant tarie et elle avait été projetée vers l'avant comme si elle avait couru puis sauté sur un trampoline géant lorsque ce qui restait de la magie de son nouveau mari lui avait été arraché des mains. Le portail se ferma avec grand bruit derrière elle et elle vola dans les airs, naviguant dans l'air humide chargé de l'odeur des poissons d'un quai décrépit qui attendait d'être démoli.

Les poutres transversales et les graffiti autour d'elle défilèrent en vitesse devant ses yeux, et Siobhan nota plusieurs choses manquant de continuité d'un seul coup. Elle n'était pas seule ; des gens attendaient sur les côtés ; peut-être une demi-douzaine de personnes. L'air était anormalement froid, même pour San Francisco, et elle savait qu'il pouvait faire plutôt froid dans cette ville. Et le pire était qu'elle allait donner avec force contre le sol. Elle allait peut-être se fracturer quelque chose, et puisqu'elle avait utilisé toute sa magie à tenter d'échapper à Thane, elle n'aurait rien pour prévenir cette chute.

Elle ferma ses yeux et étira les bras, prête au pire, mais le contact avec le sol ne vint pas et l'air cessa de se déplacer dans ses cheveux, son corps semblant suspendu dans les airs.

Elle ouvrit les yeux et remarqua qu'elle était en train de tomber au ralenti sur le ciment dur et humide. L'impact ne ressembla donc en rien à ce qu'elle s'était imaginé. Elle le frappa doucement, roula sur elle-même à une reprise et s'immobilisa.

Elle leva les yeux vers le plafond pourri du quai désaffecté pendant quelques secondes. Il y avait des puits de lumière coincés dans le métal et le bois, et les morceaux de plastique étaient si minces qu'elle pouvait voir les nuages dans le ciel à travers. Des excréments d'oiseaux parsemaient les fenêtres de fortune de l'autre côté, les obscurcissant en certains endroits. Elle sentait l'odeur des poissons et des algues marines, vivants et morts. Elle entendit le bruit de la circulation le long de l'Embarcadero de même que l'eau de la baie venant clapoter contre le ciment du quai à l'extérieur et le cri d'une mouette solitaire.

Puis, le son de bottes marchant sur le pavé à côté d'elle lui fit tourner la tête.

Un homme se trouvait au-dessus d'elle. Elle ne l'avait jamais vu en personne auparavant, mais elle reconnut les traits de son beau visage. Ils étaient vaguement similaires à ceux qu'elle avait vus sur la grande image vacillante qu'il avait projetée dans le portail de Thane pour la menacer.

C'était Marius. Le roi Akyri.

— Je suis heureux de constater qu'il est inutile que je me présente à vous, déclara Marius, qui lui souriait de la façon la plus charmante.

Ses yeux bleus brillaient d'un charisme surnaturel et d'intelligence.

— Cela signifie donc que j'ai fait une impression sur vous.

Il tendit la main vers elle pour l'aider à se relever.

Siobhan regarda la main offerte. Elle avait utilisé un pouvoir qui n'était pas le sien pour invoquer un portail lui permettant de quitter le purgatoire. Elle l'avait emprunté et cela paraissait, car elle était maintenant totalement épuisée.

Elle prit la main qui lui était offerte. Le roi Akyri esquissa un sourire qui semblait être authentiquement ravi, tout en dents blanches et en charme, et souleva facilement Siobhan sur ses pieds. Une fois debout, il l'aida même à stabiliser sa posture en posant une main délicatement contre son dos. Il la retira ensuite et inclina sa tête sur un côté.

— Alors, dites-moi, était-ce l'idée de Thanatos ou bien la vôtre de vous drainer ainsi de toute votre magie? demanda-t-il.

Le regard de Siobhan passa de Marius aux autres personnes dans la pièce. Trois hommes, tous vêtus de noir. Siobhan les identifia comme étant des Akyri. Ils avaient tous ce regard affamé des gens qui étaient à peine nourris. Ils la regardèrent comme si elle était un buffet. Elle avala sa salive avec difficulté.

Deux autres hommes étaient avec eux, mais ils étaient mortels. L'un d'eux était très jeune, sans doute un adolescent. L'autre avait des cheveux gris aux tempes, portait des pantalons kaki et une chemise blanche à col boutonné et avait l'air mort de trouille. Il était debout derrière l'adolescent qui essayait très fort de ne pas avoir l'air effrayé, mais qui avait les mains et les pieds liés à une chaise de bois qui était couverte de sang. Ça ne devait pas être le sien, puisque ses vêtements étaient relativement propres.

C'est le sang de sa mère, comprit-elle. Sa mère était la femme qui avait été assassinée avant d'être envoyée au purgatoire. C'était la famille dont elle avait parlé à Siobhan. Il n'y avait aucun signe de la morte, mais il y avait une bâche dans un coin du bâtiment. Le corps pouvait s'y trouver.

Siobhan se retourna pour faire face au roi Akyri, qui attendait encore patiemment sa réponse. Il était inutile de ne pas être honnête. Elle n'en tirerait pas de quelconque avantage.

— C'était la sienne, admit-elle. Nous avons joué à la poursuite. Il a gagné.

Le roi Akyri rejeta sa tête vers l'arrière et éclata de rire. Le son jovial était réel et provenait de quelque part profondément en lui. Il était vraiment amusé. Son rire se répercuta dans l'espace humide et vide du quai. L'homme et son fils étaient tout à fait immobiles, leurs regards fixés sur Siobhan et sur l'homme avec qui elle parlait. Il était évident d'après leurs regards qu'ils étaient déjà en état de choc, mais ils avaient encore suffisamment à perdre pour être encore sous l'emprise impitoyable de la peur.

Le roi Akyri…

— Je vous en prie, appelez-moi Marius, insista le roi, interrompant ses pensées comme s'il avait été dans son esprit. J'y étais, annonça-t-il. Dans votre esprit, je veux dire. C'est une des nombreuses choses que je peux faire maintenant, mais qu'il m'était impossible d'accomplir auparavant.

Il lui parla comme s'ils discutaient à bâtons rompus, entre amis.

— C'est étonnamment délicieux. Je ne peux pas comprendre pourquoi Roman ne le fait pas en tout temps.

Il secoua sa tête.

— Je sais que c'est ce que je ferai.

Il ignora son expression choquée et marcha à pas mesurés autour d'elle.

— Je vous aime bien, Mademoiselle Ashdown. Vous êtes honnête et vous avez toute une âme. Je peux la ressentir, vous savez. Les Akyri peuvent toujours ressentir l'âme d'une femme-sorcier. Nous pouvons les voir, les ressentir et même les sentir.

Il s'arrêta en plein devant elle et se tourna pour lui faire face, souriant jusqu'à ce qu'elle puisse voir ses canines.

— La vôtre a le parfum de minuit.

Siobhan déglutit, et sa salive demeura coincée dans un endroit sec de sa gorge. Elle passa bien près de tousser, mais elle parvint plutôt à fermer ses yeux et à se détourner du roi Akyri.

— Je dois reconnaître que l'idée de Thanatos de faire en sorte que vous utilisez ainsi toute votre magie était intelligente, concéda Marius en secouant la tête et en poussant un petit sifflement.

Puis, il éclata d'un rire sombre.

— Mais de vous *épouser* n'était pas aussi intelligent. Je ne peux le blâmer, bien sûr.

Ses yeux bleus examinèrent sa silhouette et Siobhan eut l'impression qu'elle ne portait pas de vêtements. Un gros frisson lui parcourut la colonne vertébrale. Elle s'entoura le corps de ses bras et serra bien fort.

Le mouvement sembla l'amuser. Quelque chose brilla dans la glace de son regard.

— Il devait toutefois s'être rendu compte que vous seriez en mesure d'ouvrir un portail une fois que vous seriez liée à lui.

Il haussa les épaules.

— Eh bien. Je suis sûr qu'il le sait maintenant.

Son expression enchantée déclencha de nouveaux frissons le long des terminaisons nerveuses de Siobhan.

— Tant pis pour lui.

— Je suis ici, dit Siobhan, étonnée de constater à quel point sa voix était stable. Vous n'avez donc plus besoin de l'homme et de son fils désormais. Vous pouvez les libérer.

Elle était probablement sur le point de mourir et après tout ce qui était arrivé, cela ressemblait au glaçage sur le gâteau de chaos que sa vie était devenue. Et malgré tout, elle se sentait *calme*. Même assez calme pour faire des demandes.

C'est Thane, lui dirent ses pensées. Elle était liée à lui maintenant, et ce lien lui apportait une force qu'elle ne possédait pas à elle seule.

— Comme c'est romantique, lança Marius.

Son ton était devenu froid, tout comme son expression faciale. Il la regarda avec de mauvaises intentions inconnues puis se détourna d'elle pour faire face aux trois Akyri ainsi qu'à l'homme et à son fils, qui attendaient de l'autre côté du quai.

— Elle a raison, indiqua-t-il, parlant encore une fois de manière décontractée.

Puis, il s'adressa directement à l'homme et à l'adolescent lorsqu'il se trouva face à eux. L'estomac de Siobhan se noua.

— Nous n'avons plus besoin de vous. Merci pour votre aide.

Il regarda l'Akyri le plus près de lui puis hocha la tête.

Le démon suceur de magie tira une arme à feu de la poche intérieure de sa veste en cuir. Il la pointa vers l'adolescent silencieux aux yeux grands ouverts.

Des glaçons se brisèrent sur le cœur de Siobhan.

Et l'Akyri appuya sur la détente. Deux fois.

CHAPITRE 28

— Il a fait quelque chose pour effacer sa piste, déclara Steven Lazare, qui était debout au centre du garage dans lequel il était d'abord apparu devant Thane ce qui semblait être une éternité auparavant.

La tête de l'ancien détective Akyri était penchée et ses yeux bleus, solidement fermés, son expression faciale le reflet de sa plus complète concentration.

— Je peux la sentir, mais on dirait que je peux la sentir partout. Il n'y a pas de zone focale.

Thane voulut casser quelque chose. Pas seulement à cause de ce que Lazare lui disait, mais parce qu'il savait exactement ce que Lazare voulait dire. Il ressentait la même chose. Marius avait effacé les traces de Siobhan avec un niveau de pouvoir qu'il n'aurait pas dû posséder.

— Vous devez la trouver, Lazare, insista Thane.

L'Akyri ouvrit ses yeux et les leva vers lui.

— Vous êtes le seul à pouvoir y arriver.

Lazare détourna son regard de Thane et glissa une main raide dans ses frisettes blondes.

— Il n'est peut-être pas assez fort, suggéra Roman.

Thane se retourna pour regarder le roi des vampires. Il se trouvait sur l'un des côtés du garage, à côté des 11 autres rois et du Surveillant du conseil des loups-garous. Le Surveillant portait un petit médaillon serré contre son cou, qui lui avait été donné par sa petite amie, la dirigeante de l'assemblée de sorcières, Imani Zareb. Il lui permettait apparemment de se téléporter à volonté.

Le rassemblement de ces 12 personnes contre ce mur offrait une image puissante. Un mortel qui les aurait regardées n'aurait jamais été en mesure d'effacer cette image de son esprit.

Thane avait utilisé beaucoup d'énergie pour les emmener ici à travers les barrières dimensionnelles, et leur transport avait seulement été possible parce qu'ils avaient consenti à venir. Il n'était pas certain de savoir pendant encore combien de temps il allait pouvoir maintenir cet environnement pour leur permettre d'être ici, tout en ralentissant le temps dans le purgatoire pour leur donner autant d'avantages que possible. Il se sentait de plus en plus épuisé chaque seconde qui passait et il était incroyablement reconnaissant d'avoir choisi d'absorber la magie que Siobhan avait utilisée.

Il avait supposé que Lazare aurait retrouvé sa piste sur-le-champ. Il ne s'était pas attendu à ce que le roi Akyri soit en mesure de dissimuler sa trace aussi bien.

Lazare se tourna également pour faire face au roi des vampires depuis l'endroit où il se trouvait. Le regard de Roman D'Angelo passa de Lazare à Thane avant de se poser sur Jason Alberich, qui observait la scène en silence à quelques mètres de là.

Jason croisa le regard de Roman avant de hocher la tête.

— Peut-être aurez-vous plus de succès si vous utilisez ceci, souligna Jason en parlant à Lazare.

Il leva ses deux mains et une fraction de seconde plus tard, ce qui semblait être le pouvoir de Dieu sortit en vitesse de ses mains pour venir frapper l'ancien détective en pleine poitrine.

Lazare n'eut pas le temps de l'esquiver, de courir ou même de se pencher. Il eut à peine le temps de cligner des yeux avant que la magie du roi des sorciers ne le frappe puis ne déferle en lui comme une vague rebelle. Thane observa le tout avec une fascination sinistre. La lumière était suffisamment brillante pour entraîner un coup de soleil et assez forte au niveau sonore pour produire une petite douleur vive dans les tympans de Thane. Elle ressemblait à de la foudre, purement et simplement, et aurait sans aucun doute fait frire une petite armée. Jason Alberich devenait plus impressionnant à chaque instant.

Lazare ne fut bien sûr pas blessé. Ce fut tout le contraire.

Son visage adopta une teinte bienheureuse sous l'effet de cette cascade d'électricité. Ses yeux s'obscurcirent, passant du bleu à l'indigo puis au pourpre avant de finalement devenir rouges. Ses canines se mirent à allonger pour la première fois depuis que son identité d'Akyri avait été comprise. Certains Akyri avaient des canines et d'autres pas. Elles semblaient être un vestige démoniaque et étaient purement décoratives puisque les Akyri ne les utilisaient pas pour percer la chair.

Peu importe à quoi elles servaient, l'actuel roi Akyri avait des canines comme celles d'un vampire, et Steven Lazare aussi.

Cette similitude renforça les soupçons de Thane à propos de cet homme, mais ces soupçons étaient quelque chose qu'il valait mieux pousser à l'écart pour le moment et les confier au destin.

Dès que la magie du sorcier cessa de s'en « prendre » à Lazare, l'ancien détective se tourna une fois de plus vers l'espace vide où il avait tenté d'ouvrir le même portail que Siobhan avait utilisé. Il leva sa main droite… et l'air se fendit bien grand.

L'obscurité les salua de l'intérieur.

— Elle est là, précisa Steven, sa voix augmentée par la magie se répercutant sur les murs du garage.

Thane n'hésita pas un instant. Il se mit à courir et sauta dans le portail. Il sentit des renforts derrière lui ; les autres rois le suivaient, mais il ne ralentit pas et n'attendit pas davantage. Il n'avait aucun plan précis et aucune idée réelle ce qu'il allait faire une fois qu'il sortirait de l'autre côté, et il s'en souciait à peine. S'il pouvait seulement se rendre auprès de Siobhan, s'il pouvait seulement se placer entre elle et Marius...

C'était tout ce à quoi il pouvait penser.

* * *

Les jambes de Siobhan s'étaient transformées en plomb et le monde reculait. Ce qu'elle voyait ne pouvait pas être réel. Tout ce qui s'était frayé un chemin dans son monde récemment, depuis la mort de Steven jusqu'à Thanatos au purgatoire en passant par l'existence de tant de factions surnaturelles qu'elle ne pouvait pas les compter à l'aide de ses deux mains, ne signifiait plus rien. C'était facile de l'accepter, facile à vivre. C'était de la fantaisie et c'était donc doux, comme un vin doux ou un morceau de chocolat. C'était là.

Mais ça... La façon dont le corps du fils avait été secoué sur la chaise lorsque la balle avait pénétré son cœur, la façon dont son père s'était penché au-dessus de lui, sa voix et son souffle étranglés par incrédulité, ses doigts saisissant les épaules de son fils alors que tout ce qui avait eu de l'importance dans sa vie lui était arraché... C'était impossible.

La deuxième balle entra dans la poitrine du père et un moment s'écoula avant que ce dernier ne tombe au sol. Ce moment s'écoula parce qu'il croyait que cela était impossible, tout comme elle le croyait. C'était irréel, inexistant. Il fallut qu'un moment s'écoule très lentement pour qu'il se rende compte qu'il était mort.

Puis, il glissa sur le sol et dans cette mort en emportant une partie de Siobhan avec lui.

Elle ne remarqua pas l'air s'ouvrir derrière elle. Elle avait été rendue pratiquement sourde par le bruit de la première balle lorsque cette dernière avait quitté la chambre de l'arme à feu. Le monde évoluait maintenant au ralenti. Elle se sentait prise au piège sous l'eau, observant le tout à travers une atmosphère assombrie par le traumatisme et la haine.

Des flashs de lumière entrèrent dans son monde comme ceux des caméras, illuminant une scène qui tournait au chaos au rythme surréaliste d'une cérémonie funéraire. Les Akyri qui se trouvaient autour du père et du fils se dispersèrent. Le son très lointain d'un cri parvint à ses oreilles, assourdi et fracturé. Elle dit à ses lourds membres d'avancer, leur donna la mission de se rendre jusqu'au père et au fils. Ses membres l'ignorèrent et elle demeura là, immobile, tandis qu'elle s'engourdissait.

Ils durent ensuite décider de l'écouter, parce qu'elle était en mouvement. Elle fit un pas après l'autre jusqu'à ce qu'elle se retrouve agenouillée à côté du père à appuyer ses doigts contre sa gorge. Il n'y avait rien. Le résultat fut le même une respiration plus tard.

Elle se déplaça ensuite comme si elle était dans un rêve, retirant ses doigts du corps du père pour venir les appuyer contre le cou du fils. Il n'y avait rien.

Puis, soudainement, il y avait *quelque chose*. Un battement, faible, mais présent.

Le monde revint pour Siobhan avec ce battement. Le temps retrouva son allure normale et troublée, la pesanteur qui l'engourdissait se retira de son corps et le bruit traversa la brume cotonneuse de son état de choc pour venir jouer une symphonie cacophonique dans ses tympans.

Il y avait des détonations dans l'air. Des détonations *magiques*. Des lumières de toutes les couleurs de l'arc-en-ciel furent projetées contre les murs du quai, illuminant les graffiti peints à la bombe comme si une fête techno avait lieu.

Siobhan cria ces mots sans lever les yeux.

— Il est encore vivant !

C'était là une requête émise en raison du fait qu'elle se savait entourée de gens magiques et que les chances que quelqu'un soit en mesure de l'aider étaient plus élevées qu'elles n'auraient pu l'être pour n'importe qui d'autre.

— La Guérisseuse peut le sauver, annonça une voix grave à côté d'elle.

Elle leva les yeux et se retrouva exposée au regard ambré et rayonnant d'un imposant Afro-Américain. Il s'agenouilla à ses côtés et souleva le garçon dans ses bras avec une facilité incroyable. Il jeta un dernier coup d'œil à Siobhan puis il hocha la tête. Une petite pierre à l'extrémité d'un médaillon en cuir qu'il portait étincela d'une lumière vive. Siobhan plissa les yeux et souleva son bras pour protéger ses yeux de la lumière.

La lumière disparut, et l'homme et le garçon blessé avec elle. Elle fixa l'espace vide du regard, puis elle jeta un coup d'œil en direction de la bâche en plastique noire immobile dans le coin d'un des murs du quai avant de baisser les yeux vers le père décédé.

Et se rendit ensuite compte que le quai était de nouveau tranquille. Tout était calme.

À part du bruit des bottes de moto qui s'avançaient lentement vers elle.

Siobhan se retourna tout en se levant lentement. Thane était là devant ses yeux, les deux mètres de sa personne, grand, sombre et fraîchement issu du combat. Son t-shirt était déchiré à la hauteur de son abdomen et de son épaule gauche, et les tatouages sur ses bras étaient noirs comme le milieu de la nuit, enroulés, complexes et fâchés. Du sang souillait des parties de ses vêtements, faisant adhérer le matériel à ses muscles. Siobhan se demanda s'il était gravement blessé, mais ses yeux argentés luisaient d'une blancheur égale à celle des étoiles dans son beau visage, attirant son attention et la retenant rapidement.

Ses doigts se replièrent sous le menton de Siobhan, le contact doux, mais rempli d'une force inutilisée.

— Est-ce que ça va ? demanda-t-il.

Sa voix entra dans son esprit alors que rien d'autre ne pouvait le faire, se glissant dans son organisme pour calmer son âme comme un spiritueux spirituel.

Elle ferma ses yeux, sa mémoire chargée du son des balles. Elle hocha la tête dans l'affirmative, mais elle ne le pensait pas vraiment. Mais que pouvait-elle faire ?

— Vous pouvez faire beaucoup de choses, Votre Majesté, l'encouragea une voix grave et familière derrière Thane.

Siobhan cligna des yeux. Thane laissa tomber sa main, libérant son menton tandis qu'elle étirait le cou pour jeter un coup d'œil derrière lui.

Plus de deux dizaines de corps d'Akyri étaient éparpillées sur le sol couvert de sang du quai. Les yeux de Siobhan s'agrandirent et son estomac se retourna alors que des nausées se pointaient le nez. D'où étaient-ils venus ? Il n'y avait pas eu tant d'hommes quelques instants plus tôt. Seulement trois. Marius les avait-il tous appelés d'une façon ou d'une autre ?

Elle supposa que c'était le cas.

Ce n'était cependant pas le plus grand choc. Au milieu de ces cadavres se tenait au moins une dizaine d'hommes débordant de tant de charisme et de pouvoir qu'elle en eut le souffle coupé. Ils étaient tous grands. Beaux, terrifiants et irrésistibles. Des yeux rougeoyants et des iris de différentes formes la saluèrent. Elle avala sa salive avec difficulté.

Ce sont les rois, pensa-t-elle. Il le fallait. Ces hommes étaient ceux dont Thane lui avait parlé. Elle les regarda les uns après les autres, sachant qu'elle pouvait le faire seulement parce qu'ils le lui permettaient, et elle eut l'impression d'être coincée dans un genre de rêve d'adolescente. Des hommes comme ça? Ils n'existaient pas. Pas dans le monde réel.

Seulement dans le sien.

Steven Lazare était parmi eux et il se tenait au-dessus du corps de Marius, *l'ancien* roi Akyri. Steven sembla maintenant différent à ses yeux. Il sembla être exponentiellement plus fort. Quelque chose y était lié, mais son esprit était trop préoccupé pour qu'elle le comprenne en ce moment.

C'était Roman D'Angelo qui lui avait parlé. Ses vêtements avaient aussi subi certains dommages. Il n'était pas facile de combattre un Akyri pour un être qui faisait usage de magie. Cette magie devenait rapidement désuète. Il fallait donc se résoudre à combattre à mains nues. Et selon les apparences, ces hommes étaient également au sommet de la chaîne alimentaire dans ce domaine.

— Que voulez-vous dire? demanda-t-elle.

C'était assez étrange pour elle d'accepter qu'il ait lu sans son esprit, mais ce qui était encore plus étrange était qu'il l'avait appelée «Votre Majesté.»

— Vous êtes une femme-sorcier, Siobhan, expliqua le roi des vampires. Les sorciers possèdent le pouvoir de ressusciter les morts. Vous le savez dans votre cœur. Et vous êtes maintenant la reine des fantômes, ajouta-t-il avec un petit sourire. Le titre vous convient.

Siobhan le digéra en le poussant dans son esprit comme un rocher.

— Siobhan, dit Thane en prenant sa joue dans le creux de sa main, ce qui fit déferler des ruisseaux de réconfort dans son corps.

Elle leva les yeux vers lui.

— Tu as la capacité de ressusciter les morts, poursuivit-il, sachant exactement ce qui s'était passé ici. Tu es non seulement une femme-sorcier, mais tu es aussi une reine. Ton potentiel est indescriptible.

— Il a raison, renchérit Steven.

Sa voix sembla plus profonde, plus retentissante. Certainement plus assurée.

— Si quelqu'un peut les ramener à la vie, c'est toi.

— Et vous aurez de l'aide, intervint un autre homme.

C'était cet autre utilisateur de la magie aux cheveux blonds et aux yeux verts qui s'était matérialisé dans sa maison juste avant que Thane ne l'emmène au purgatoire. Elle savait qui il était. Il avait dit qu'elle était « une des siennes », et elle savait maintenant pourquoi. C'était le roi des sorciers.

Il hocha la tête en signe de reconnaissance puis il continua :

— Deux sorciers sont toujours mieux qu'un pour une résurrection.

Siobhan eut l'impression qu'il avait de l'expérience en la matière. Beaucoup d'expérience.

— Croyez-moi, conclut-il. Je le sais.

CHAPITRE 29

— La mère m'est apparue sous la forme d'une Anime et m'a dit que Marius tuerait son mari et son fils si je ne me rendais pas auprès de lui.

Siobhan expliqua la situation à la hâte tandis qu'elle se dirigeait vers la bâche dans un coin de ce que Thane pouvait maintenant reconnaître comme un quai abandonné et sans doute condamné. L'odeur du sang était fortement perceptible dans l'air. Thane la suivit de près, tout comme Jason Alberich.

Une fois à côté du corps, Thane se pencha pour soulever la toile et Siobhan tourna sa tête, peu disposée à regarder ou incapable de le faire. Il ne perdit pas de temps et repoussa le plastique sur le côté.

Au moins, la femme avait reçu la balle en pleine poitrine et non dans la tête. Quelqu'un animé d'une véritable intention malveillante aurait détruit la tête de la femme, car ce geste était bien plus personnel. Thane se demanda si les Akyri qui travaillaient pour Marius le faisaient sous la contrainte. Ils n'avaient pas semblé liés à lui, mais Thane supposait que quelqu'un comme Marius aurait pu avoir d'autres moyens de les contraindre. Les

Akyri étaient souvent victimes de contraintes. Le besoin qu'ils avaient envers la magie des sorciers était une grande faiblesse qui était exploitée trop fréquemment.

Mais peu importait que la femme ait été tirée dans le visage ou la poitrine. Elle était morte malgré tout, et Thane avait noté quelque chose qu'il ne pouvait se résoudre à mentionner à Siobhan. Si l'esprit de la morte était apparu sous la forme d'une Anime dans son royaume, elle ne pouvait probablement pas être ressuscitée. Les êtres ressuscités ne se présentaient jamais au purgatoire.

Reste toutefois que Siobhan est différente, pensa-t-il.

Elle était tout d'abord une femme-sorcier spéciale. Son aura bourdonnait d'un pouvoir inexploité. Elle était aussi une femme-sorcier qui avait stocké son pouvoir pendant presque trois décennies. Et elle était sa reine.

Il la laisserait tenter le coup. Tout était possible.

Siobhan tourna lentement sa tête et ouvrit ses yeux.

— C'est elle, chuchota-t-elle, comme si elle s'assurait ainsi que c'était la même femme qui lui était apparue dans le purgatoire.

Un rire dur et froid se répercuta soudainement dans le quai. Thane se retourna en vitesse, tout comme Alberich. Les autres rois se dispersèrent dans la salle, se préparant à une autre bataille. Siobhan se leva lentement et Thane enveloppa fermement son bras autour de ses épaules avant de la tirer contre lui.

L'air devint soudainement lourd et épais, comme s'il était rempli d'un brouillard que personne ne pouvait voir.

Les corps sur le sol se mirent à disparaître un par un. Le phénomène n'était pas nécessairement étrange. Les Akyri disparaissaient habituellement après avoir été tués. Ils cessaient d'exister quand il n'y avait plus de magie pompée dans leurs veines pour alimenter leurs corps physiques.

La situation présente semblait toutefois être différente. Thane avait l'impression que ces Akyri ne cessaient pas d'exister, mais qu'ils étaient emportés.

Récoltés.

Le rire augmenta en intensité et Siobhan appuya ses paumes sur ses oreilles. Le son était grinçant et profond, et il grondait dans le bâtiment avec une présence physique. Il essaya d'entrer dans Thane, tentant de s'envelopper autour de sa colonne vertébrale comme un python. Il devait se concentrer pour le tenir à l'écart. Ses yeux fouillèrent dans l'espace près des chevrons du quai. Les autres rois regardèrent également autour d'eux avec méfiance.

Mais rien n'apparut.

Quelques secondes plus tard, il ne restait plus qu'un seul corps, celui de Marius, l'ancien roi Akyri. Il avait été tué par Steven Lazare, comme Thane l'avait pressenti. Il soupçonnait également que Lazare comprenait maintenant qui avait été son père.

Steven Lazare était le fils de Marius. Ce n'était pas vraiment une surprise. Marius avait été un coureur de jupons et n'avait jamais été particulièrement difficile sur le choix de la femme avec qui il couchait. Une belle femme mortelle était aussi bonne qu'une belle femme-sorcier. C'était ainsi que Steven avait été conçu.

Et Marius avait scellé son propre destin.

Steven Lazare, l'ancien détective à moitié Akyri, était le nouveau roi Akyri. Ce roi recula et observa avec des yeux circonspects le corps de Marius qui commençait à s'élever du sol.

Le cœur de Thane se serra. Un énorme pressentiment se manifesta en lui.

Le corps de Marius continua à s'élever et ce faisant, il se mit à rougeoyer de manière inquiétante. Il flotta de plus en plus haut jusqu'à ce qu'il atteigne presque le plafond. Le rougeoiement engloba le corps et brilla d'une manière si étincelante que la lumière ressembla à celle de la téléportation.

Thanatos plissa les yeux et tourna un peu la tête. La lumière perdit en intensité et s'estompa, laissant l'espace vide ainsi que la lourde certitude que Thane et ses compagnons venaient de faire quelque chose de très mal.

Le rire n'était plus. La lourdeur de l'air s'allégeait. Le métal qui restait était dans le ventre de Thane.

— C'était une mise en scène, comprit un des rois.

Thane se retourna pour voir le roi des dragons, Arach, regarder le sol couvert de sang et se retourner lentement sur lui-même.

— On nous a fait venir ici pour nous observer, continua-t-il.

Ses yeux avaient encore la forme des yeux d'un dragon, mais lorsqu'ils se posèrent sur ceux de Thane, ils reprirent leur forme humaine, quoiqu'ils arboraient encore des couleurs très vives.

— On nous a bernés. Rien de ceci n'était réel.

— Il a raison, renchérit le roi Unseelie, qui avait une expression faciale sinistre.

Thane était porté à être d'accord. Et si quelqu'un pouvait reconnaître une mise en scène, c'était le roi Unseelie, Caliban. Cet homme était un véritable expert dans le domaine plus sombre de l'artifice et de la stratégie.

— Nous sommes face à un quelque chose de plus gros que ce que nous avions prévu, Messieurs, souligna Roman.

— Sans blague, dit le roi des gobelins, dont les yeux sous ses paupières tombantes passèrent d'un jade opaque à un émeraude scintillant avant de revenir au jade.

Il sourit d'un air grave. Une ancienne cicatrice de bataille traversait sa lèvre supérieure tel un éclair, prêtant à ce sourire un aspect cruel et rendant visibles les pointes de ses canines.

— Nous n'avons aucune idée de ce que nous foutons.

Le regard de Thane passa du roi des gobelins aux autres rois, puis il baissa les yeux vers Siobhan. Il était porté à être d'accord.

* * *

— Je ne peux pas croire que nous avons fait ça, s'étonna-t-elle en entrant dans la cuisine et en prenant de sa main la bière froide qu'il lui offrait.

— Crois-le, lança-t-il. Tu es une jeune femme douée.

Il lui décocha un clin d'œil et son visage s'empourpra, à la suite de quoi elle tenta de dissimuler sa réaction derrière sa bière en buvant une gorgée.

Jason Alberich et Siobhan avaient travaillé ensemble dans la matinée pour ressusciter deux cadavres dont l'un qui, selon Thane, n'avait pratiquement aucune chance de coopérer en ce sens. Tant la mère que le père de la famille qui avaient été assassinés au quai 36 étaient revenus d'entre les morts. La Guérisseuse, Dannai Caige, avait réussi à sauver le fils. La grande sorcière, Lalura Chantelle, avait utilisé sa magie incroyable pour débarrasser les ressuscités de leur besoin d'avoir un phylactère pour leurs âmes. Et la famille était maintenant réunie, et ses souvenirs avaient été effacés par Roman D'Angelo afin qu'elle ne se souvienne absolument pas de l'attaque. Thane soupçonnait toutefois qu'ils auraient tous des aversions inexplicables envers l'Embarcadero de San Francisco. Et peut-être envers la pêche.

La menace de quelque chose d'horrible planait au-dessus de tous les membres du monde surnaturel. Un pouvoir qu'aucun roi ne pouvait comprendre s'implantait et plusieurs d'entre eux avaient été directement touchés par lui.

Il teintait absolument tout d'une impression de gravité et voilait la fierté que Siobhan aurait dû ressentir à propos de ce que Jason et elle avaient accompli.

— Alors Steven est maintenant le roi Akyri, dit Siobhan après avoir avalé sa gorgée. Je n'avais pas vu ça venir.

Elle arqua un sourcil.

— Mais au fond, je n'ai rien vu venir du tout, alors j'imagine que mes perceptions ne comptent pas.

Thane sourit et but une longue gorgée de sa propre bière. Elle était belle quand elle se dénigrait elle-même. Par le diable, elle était toujours belle.

— Thane, puis-je te demander quelque chose?

Il baissa sa bouteille et lui répondit.

— Ce que tu veux. N'importe quand.

Elle le rendait faible. Un jour, il deviendrait incapable de lui refuser quoi que ce soit.

— Alberich a dit que c'était rare pour un sorcier de ne pas utiliser sa magie contre quelqu'un. Que cela me distinguait des autres sorciers.

Thane attendit. Une veine pulsa dans le cou de Siobhan et l'entrejambe de Thane sembla serré dans ses jeans. Ses gencives picotèrent.

— Alors… est-ce que cela veut dire que je ne suis plus une bonne femme-sorcier désormais? Que je suis maintenant comme tous les autres? Est-ce que je deviens maléfique, ou je ne sais trop quoi?

Elle secoua sa tête comme si elle ne savait pas comment exprimer sa pensée autrement.

Thane déposa sa bière sur le comptoir.

— Pourquoi penserais-tu seulement ça? demanda-t-il.

Elle haussa les épaules, se sentant manifestement complexée. Elle détourna ses yeux brun miel de ceux de Thane et jeta un coup d'œil par la fenêtre à la vaste étendue du purgatoire. Son profil attrayant le rendait nerveux. Ses doigts éprouvaient des démangeaisons tant il voulait la toucher.

— Je t'ai attaqué, souligna-t-elle. J'ai utilisé ma magie contre une autre personne.

Thane secoua sa tête.

— Siobhan, tu pensais que j'étais là pour te tuer. Tu pensais que j'étais maléfique.

Elle se détourna de la fenêtre pour lever les yeux vers lui de nouveau.

— Qu'est-ce que ça change ?

Elle sembla si sérieuse et si franche qu'elle en était vraiment adorable. Il était sur le point de causer sa perte.

— Tu as utilisé ta magie pour combattre le mal, ma reine.

Puis, il esquissa un sourire qui aurait terrifié n'importe quelle jeune femme raisonnable possédant au moins la moitié d'un cerveau.

— Tu ne peux pas combattre le mal avec le mal.

Les yeux de Siobhan s'agrandirent lorsqu'il s'avança vers elle, mais elle n'allait nulle part.